（京都精華大学長）
ウスビ・サコ

アフリカ出身
# 「サコ」学長、日本を語る

朝日新聞出版

アフリカ出身

# サコ学長、日本を語る

目次

# 目次

カバーデザイン　弾デザイン事務所
本文デザイン・DTP　パラレルヴィジョン
（本間章成　福田優香）
編集協力　小坂綾子
表紙写真　中森健作

# 序章

二〇一八年四月一日。この日は、私にとって特別な日であった。

京都精華大学の新しい学長に就任し、最初の務めとして、新入生たちにメッセージを送るのだ。

そんな大切な日の朝を、私は、前日から一睡もせずに迎えてしまった。緊張で眠れなかったのかというと、そうではない。その日の午後に予定していた就任パーティーの準備に追われ、気がつけば朝になっていたのだ。

多くの人が私の学長就任を祝ってくれる予定だった。国外から親戚や友人が訪れ、出身国であるマリ共和国の大使も来てくれる。段取りをし、ようやく前夜に式辞の原稿を書きあげたと思ったら、パーティーのスライド担当者が「今から相談に行く」と言う。午前二時。式辞の原稿を見直そうとしていた矢先だった。

とてもよくしゃべる彼との打ち合わせが終わったのは、午前四時。原稿を読む練習さえできず朝になり、就任式で辞令を受け取ると、すぐに入学式が始まった。

心の準備をする間もなく、あっという間に私の番である。ここまできたら、やるしかしゃーないわ。ほとんどあきらめ状態だった。

特別な気分に浸る余裕もなく壇上に上がると、目の前には、緊張感に包まれた表情の新入生たちが並んでいた。そこにいる全員が、何か特別な思いを持って期待を寄せているかのように、私に視線を送っていた。

彼らと私の間に、一体感が生まれているのがわかった。

これから、この学生たちと一緒に大学をつくりあげていくのだ。

突如として責任感がわき上がり、私はマイクを握った。

「私は、遠いところから来ております。遠いというのは、距離はもちろんのことですが、私の生まれ育った環境との違いのことです」


こちらを見つめる学生たちに向け、私は、出身国マリで送ってきた日々について話した。

一九六〇年にフランスから独立を果たした国であること、フランス語と母語と民族の言葉を使い、地域ではさまざまな民族や宗教の人と共存してきたこと、文化が入り乱れる中での生活だったこと。

アフリカ出身で、フランス語圏の教育を受けてきたイスラム教徒。日本の学生たちとは

学長室にて　2019年9月

全く異なる育ちをしてきた私が、みんなと大学をつくっていく。その協働作業が持つ意味を思うと、こみ上げるものがあった。

私は続けた。

「こうした環境の中で育った私が、本日、みなさんと協働で大学教育を運用することになります。私がマリの教育課程を経て持続的に考えてきたのは、自分の可能性を信じ、人間としての自由と自立を求めることです。自分の可能性を信じれば、生まれ育った環境が異なっても、人間同士の協働は可能なはずです」

彼らに伝えたかった。

私はあなたたちの「上」に来たのではなく、四年間を一緒に歩もうと思っているということ、そして人間として関わり合いたいのだということを。

学生たちは、お客さんでもなければ商品でもない。私にとって学生たちは、家族なのだ。

彼らに伝えたかった。

他者との違い、文化の違い、宗教の違い、民族の違い、人種の違い、性的志向を含むさまざまな違いを、否定するのではなく、そこから学び、生き方の哲学や価値観を確立してほしいということを。


そしてもう一つ、私には、学生たちに受け取ってほしい大事なメッセージがあった。

それは、「私でもここまで来ちゃった」ということだ。

だからみんなも、あきらめなければ可能性はある、と。


本当は、ルーティンのかしこまったスタイルではなく、もっとフラットに学生たちに語りかける方法を考えたかった。私は、学生たちが京都精華大学に来てくれたことが本気で嬉しかったし、形式的なものではなく、本当の意味での「ウェルカム」をしたかった。けれど、私一人の思いでものごとを進めるべきではないこともわかっていた。大学というチームで、長年このような式典を継続させてきた努力にもまた、敬意を持たなければならないと思っていた。

たくさんの人たちが関わって守ってきた、壇上から式辞を贈るような形式を重んじつつ、家族としてどうやって学生との距離を縮めていくのか。みんなで考え、新しい試みも交えながらその答えを追求していく日々が、ここからスタートする。

この日本で私が学長になることは、何かの変化の始まりであるかもしれない。そんな予感がしていた。

第一章

# 赤の他人に教育されるマリ

## ―サコ、すくすく育つ―

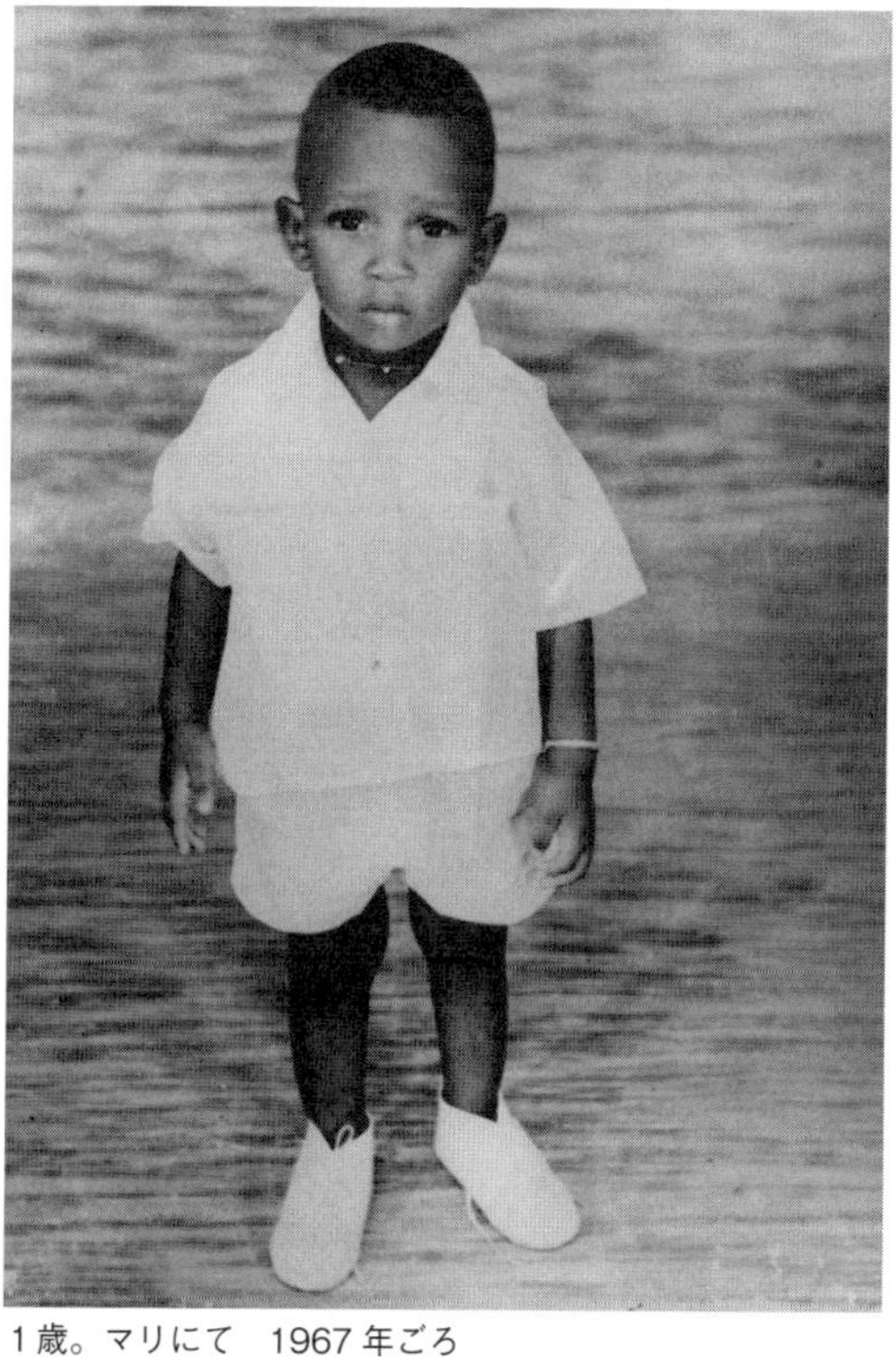

1歳。マリにて　1967年ごろ

## わが家には、知らない人が住んでいた

時は一九六〇年代。アフリカはマリの首都バマコにあるわが家では、三十人ほどの人が同じかまどのごはんを食べていた。

私の実家は、国家公務員の父と専業主婦の母、二歳違いの妹と十三歳違いの弟と私の五人家族。だが、なぜか近い親戚、遠い親戚や知らない人がうじゃうじゃと家の中にいた。

誰がいるのかというと、祖母、父の姉、そしてその姉のところに居候していた人たちが十人前後。母方の親戚が十人前後。その他諸々。つまり、「赤の他人」が半数近くを占めるわけだが、まあ、マリでは珍しくない。

活発でやんちゃな性格の私は、よく大人たちに叱られた。私のことを一生懸命叱る目の前の人を見つめながら、いつも思っていた。

「この人、一体誰やろな」

親でも先生でもない、全然知らない人に叱られるのが日常なのだ。

その「赤の他人」たちは、家族や親戚の知り合いだとか、知り合いの知り合いだとか、

よくわからないつながりで突然家を訪れ、そのまま何日も、何カ月も居座る。そして、気づけば一緒に暮らしている。「おまえ誰やねん」の世界である。

たとえばで言うと、よくあるパターンはこれだ。

親がある地方の出身で、同じ地方の隣人が都市部に何かの用事があるとき、出てくる前にまず情報を収集する。すると、「あの人の息子さん、バマコで公務員をして家を持ってるらしいよ」という評判を聞く。

バマコはマリの首都であり、日本の東京と同じ、文化と商業が一極集中している。「福岡出身者が東京に出たら福岡人を探す」というのと同じような感覚で、バマコ住民も同じ地方出身の人に親近感を持つ。

新しくバマコに出てきた人は、定住している人の家にたどり着き、自己紹介をしてこう言う。

「自分はバマコに用事があって来た。○○出身だ」と。

私の家の場合、その全く知らない人を「どうぞどうぞ」と招き入れるのだ。

家の中には、共同で使う部屋がいくつかある。新しく来た人に個室を与えなくても、ゴザもあるから適当に寝てもらって構わない。ごはんはみんなの分もあるから、ついでに食べてもらう。みんなが食べる中にまざればいい。特別扱いはしない。

多くの場合、そういう人は次の日になっても用事に行かない。

「用事は？」とたずねると、「いや急いでない」と言う。「急いでない」のが一日二日かと思いきや、何日間も母の話し相手になったり、母がやることの手伝いをしたりしている。

そして、いつの間にか住んでいるケースもある。

さらに、「自分の親戚も来る」と言って対応させる人もいる。そしてその人たちが、子どもの教育にまで口を出し始める、というわけだ。口を出すことが義務と思われているからだ。

そしてマリの子育ても、日本とは違う。

子どもたちは、幼児のころから家の手伝いをする。年齢は関係なく、そういうところから人生を学んでいく。

親のそばにいるといつも「これ持ってきて、あれ持ってきて」と使われる。そして、失敗したらめちゃくちゃ叱られる。しかもそれが、親だけじゃなく、家じゅうに住んでるよく知らない人たちにも叱られるのだからたまらない。家族でも何でもない「誰やねん」の人たちに。

家にたくさん人がいて、いろいろな人が子育てを手伝うというのは、いい面もある。「お母さん一人が疲れ果てる」という問題が起こらない。もちろん、「夫婦だけで子育て頑張るぞ」という空気もない。そもそも法律上一夫多妻制が認められている国だから、複数の母の子たちが何人も一緒に住んでいることも珍しくなく、誰が誰の子かということは、あまり意識しないのだ。

わが子がいつの間にか隣の家のお母さんの面倒を見ていることもある。たとえば、隣のお母さんが買い物をしたいけれど忙しくて行けないときには、うちの家に来て「誰か空いてる子はいないか?」と探すのだ。それを断る、ということはまずない。

マリでは、子どもたちは夫婦のものではなく、「地域の子」として育てられ、その家の子でありながら、みんなの子である。悪いことをしていたら、近所のおじさんにやっぱりちゃんと叱られるし、必要に応じてたたかれることもある。

休暇や調査などで日本からマリに帰っていると、今でもよく知らない人たちが家に遊び

幼稚園児のサコ、親戚のおばあさん、おばさん、妹と。マリにて　1970 年

に来る。

その人たちが来ると、母は「大事にしなさい」「小さいときに抱いてくれた」と言い始める。その人たちは「昔住んでた！　この子懐かしい！」とか私を見て喜ぶ（こっちは知らんし、何の懐かしさもないけどね）。

おまけに、その人が帰るときには、母は「何かお土産わたしてあげて」「車代あげて」などと言う。本当に、「なんでやねん、おまえ誰やねん」の世界なのである。

## フランス式か、マリ式か

私が最初に通っていた小学校は、私立の男子カトリックスクールだ。地域の公立学校ではないから、地元の子たちは少ない。当時はマリで唯一の私立校で、ある意味、特別感があった。教育水準が高く、意識の高い〝おぼっちゃん〟だらけなのだ。

彼らの家は、「ゲーテッドハウス」。大きくてきれいで門番がいて、食事はテーブルでナイフとフォークを使って食べている。わが家のように親戚がずるずると集まってくることはないし、知らない人が大勢住んでいる、なんてこともない。

マリはフランスの流れをくむ教育システムで、公用語はフランス語。学校のカリキュラムはフランス語圏（フランコフォニー）教育である。マリの識字率は三十数パーセントしかない。家に帰ると基本的には居住地で話される言葉を使う私は、学校では少々コンプレックスと矛盾を抱えていた。

クラスメイトが住んでいるところは、いわゆる旧植民地政府の役人が住んでいる特殊なエリア。大臣の子だったり、どこかの偉いさんの家だったりする。国家公務員で税関の仕事をしていた父はどこまで偉いのかよくわからないけれど、とにかく、わが家の日常生活は庶民派。家は新興住宅地にあり、その地域には公務員系の人もいれば庶民も住んでいる。いろいろな人がまざっていて、もちろん門番はいない。

そんな私がなぜ、この学校に入ったのか。それは、父が「西洋かぶれで教育重視」をしていたからである。

しっかりした西洋の教育が好きで、おそらく西洋に憧れの気持ちを抱いていた父。西洋的、フランス的なものの見方をしっかりと教えてくれて、フランス文学に触れられる、そういう私立の学校に行かせたかったのだろう。「西洋かぶれ」で「教育が大切」。高いレベルの教育を子どもに受けさせたい。そのためにきちっとしている私立のカトリックスクールを選んだ。

学校ではフレンチスタイルで、家ではマリ式。その二重生活に戸惑いがあったけれど、そもそもうちの家の中が二重生活だった。父と母と妹はテーブルでかしこまって食べているのに、なぜか私だけが同居の親戚と一緒に、床に置かれたｇｒａｎｄｅ ｔａｓｓｅ（大きな器または鉄製の器。日本でいう洗面器のような器）を囲んで手で食べるマリ式だった。

「自分は家族ちゃうんかな、親戚ちゃうか」と思うくらい、立場がなかった。

食事を床に置いてみんなで囲んで食べる毎日。なのに、学校の友達の家に行くと、「テーブルでフォークとナイフ」の世界。

遊びに行って食事を出されると、食材の名前もマナーもわからず、とても緊張したものだ。

学校教育や成績を意識する父とは対照的に、母はいわゆる学校の教育を受けたことがない。母は長女で、自分の母の手伝いをするために家に残り、他の兄弟と妹たちを学校に行かせる時代の人だった。ただ、人間としての教育にはとても熱心で、挨拶については特に

マリの子どもたち　2007 年

厳しかった。

　マリの学校教育は、小学校一年生でも成績が悪いと進級できないし、中学・高校の進学時には国の統一試験を受けなければならない。落ちこぼれる人も多いけれど、マリでは多くの民族が学校教育だけを教育とは捉えず、人間を形成する上で家庭教育をとても大切にしている。倫理や道徳を教えるのは、家と地域が担当だ。学校で教わるのは「フランス的」な価値観であるため、それは地域では通用しない。地域や家ではまた別のリアリティがあるのだ。

　家の文化と、マリの民族の文化、そ

して学校のフレンチスタイル。全部がごっちゃになり、小さいころの私は、まるで多重人格だった。学校では言われた通りに動いて、家ではやんちゃをする。けれど、家に住んでいるよくわからない人たちに抑えられることもあり、あまり自由がない。そんな中で、時々爆発してみせ、絶妙なバランス感覚を育んでいった。

父から期待されていた成績面はというと、上がったり下がったりで安定しない。通常の公務員の家庭ならば、成績が下がるとすぐに「あいつは勉強していない」「家庭教師をつけよう」となるけれど、うちでは、家族でもない人たちまで、好き勝手なことを言う。中には、私に甘いことを言う人もいた。

そこで、父はこう決めた。

「この子はとにかく、厳しい環境で勉強させよう」

当時、小学校四年生。家から二百五十〜三百キロ離れた親戚の家に突然預けられることになった。学校の先生をしている家庭だから、きっとビシバシやってくれるだろう、というわけだ。

かくして、恐ろしい試練の六年間が始まった。

# 苦労とは何か

たどり着いた親戚の家は、セグという都市の郊外にあった。

母方の叔母の家で、当時水道もなければ電気もなかった。朝起きると一番に井戸から水をくみ、田舎道を四・五キロも歩いて学校に通うのが日課だった。

水道も電気もあり、お手伝いさんがいたバマコの都会の日々から、生活が百八十度変わってしまったのだ。

叔母の夫は学校の先生。恐ろしいほど厳しく、勉強中居眠りをすると、車のエンジンベルトでしばかれる。子どもが流血沙汰になっているというのに、そこの家族は誰一人として気にしてくれない。成績がクラスで一位や二位のときはいいけれど、ひとたび三位に落ちると「遊んだだろう」とベルトが飛んでくる。そんな日々が続いた。

何がつらいって、とにかくごはんがまずい。あまりにまずいものだから、「あなたたちのごはんはおいしくない」と正直に言うと、その日から、みんなで囲んで食べるときに私の前の白飯にはシチューをほとんどかけてくれなくなった。

その家では、ランチの残り物が晩ごはんに出るのだが、どうしても理解できない。「残り物は食べません」と言い張った。そして、叔母が私だけのために別の料理をこっそり作ってくれたり、休み明けにバマコを出るとき祖母が持たせてくれたおやつをこっそり食べたりしたのを見つかって、怒らせてしまうこともあった。

つまり、相当態度の悪い少年だったのだ。

しかし十代前半といえば、人生の一番いい時である。楽しいはずの思春期をどうしてこんなところで――と悲しくなり、いやでいやで、抜け出したこともある。叔父がいない隙にバマコへ逃げ帰ると、父は理由を聞いてくれるでもなく、私を怒鳴った。

「何やってんだ！」

そして、すぐさま追い返された。

父に手紙を書いたこともある。五年生の時だった。

「苦労しないと物のありがたみがわからない」「長男だから苦労していろいろなものを手に入れろ」などと言い続ける父に、「苦労とは何か」と問いかけた。「今やってることが教育につながるのか。私の将来につながるのか。もう私は十分苦労は味わった。もういいよ」ということを伝えた。

だが、返事は来なかった。

「かわいそうやな」という言葉も一切なければ、フィードバックもない。無視されたのである。まあ、子どもとは議論しない人だった。

父は苦労人だ。祖父には妻が四人いて、最後の妻の最後の子。自分の父親を小さいころに亡くしたため、富裕な親戚の家で冷遇されて育った。「苦労しろ」と押しつけてくるのも、きっと本当は自分の問題なんじゃないかと、そんな気もしていた。

## カムバック、文明生活

いよいよ中学を卒業という時期になり、私にチャンスがやってきた。

成績がよければ、特別「名門」高校に進むことができる。そして、その学校は、バマコにある！

家に帰れる大きなチャンスを、私は逃さなかった。

入学した高校はフランスの植民地時代に設立された、エンジニアと技術者を育てるための特別高校で、「リセ・テクニック」といって、いわば「マリ高等技術高校」みたいなものだ。

マリ独立後、理数系教育科の高校として全国から選ばれた中学生たちがやってくる。

ただ、一つ問題があった。電気も水道もなかったところから再び文明生活に戻る、ということへの心の切り替えの難しさだ。

電気は使いたい放題で、冷蔵庫もある。机の上にはおいしそうな果物が置いてある。以前も同じ環境で生活していたし、夏休みなどにバマコに戻ることはあったのだが、六年間のブランクはあまりに長く、そのギャップにまずショックを受けた。

そして、小学校の同級生たちは、誰もが皆かっこよくなっていた。

何やら「リーバイス」とかいう有名ブランドのデニムを穿き、おしゃれをしている。

私立女子校に通う妹の友達は、百パーセントみんなかわいい！

何なん？　この洗練された世界は！

それとは対照的に、全く服装を気にしていない自分がいる。完全に取り残されていた。

アフリカのみならず発展途上国は、日本以上に首都一極集中のため、首都出身というのはかなりのステータスだ。私は一旦そのステータスを経験しているだけに、中途半端にバマコ人としてのプライドのようなものを持ってしまっていた。

田舎から来た生徒たちは、もともとそんなステータスは求めていないし、ただ勉強するだけ。けれど、私はそこにもかなりこだわったために生活自体が不安定になり、浮いた存在になってしまっていた。旧友たちは、ファッションだけでなく、カフェやクラブに行くなど、都会生活を満喫している。そういう環境に自分はどう入ればいいのかと、いつも考えていた。

高校時代。いとこと。マリにて
1983年ごろ

中国、北京にて。同期留学のマリ人たちと　1985年

勉強が大事だということはわかっている。けれどやっぱり、都市文化を満喫したい。勉強ばかりのブラックな生活からやっと解放され、文化面でなんとか追いつこうとしているものだから、必死だった。

サッカーをしたり、他の趣味を共有したり。土曜日になったらみんなでディスコに踊りに行き、コミュニケーションも重視した。勉強は得意だったが、いかんせん、エリートばかりが集まる学校である。自分がどれだけ勉強ができても、みんなもできる。

最初の成績は、クラス三十七人中三十五位という散々な結果だった。

案の定、いつもの親戚会議が開かれ、私についての議論が始まった。

「あいつ、頭がよくて天才だと思ってたけど、凡人じゃないか？」

「あいつ、あんまり成績よくないくせに妹の女子校の前にずっと立って女の子を見てるらしいぞ」

「あいつ、最近遊びにはまってるんちゃうか。なんか悪い友達つくってるんちゃうか」

私の精神状態がどうかなんて、誰も考えてくれていない。

凡人だからエリート校から普通高校に転校させろなどという勝手な意見まで出たが、とりあえず高校二年になるまでは様子を見ようという結論に至った。

転校させられたら、たまったものではない。なんとか成績を上げなければということで、二年生になる前に勉強グループをつくることにした。

放課後に一緒に試験の過去問を解いたり、宿題をしたり。これが、とてもいいグループになった。単なる教科学習だけではなく、哲学について議論したり、一緒に遊んだりした。成績はぐんぐん上がり、三十七人中五位に、そしてついには三位を獲得した。これでも う文句はないだろう。

親戚会議は、二度と開かれなかった。

## 迷惑をかけ合うコミュニティ

日本人の間には、「人に迷惑をかけたらあかん」という文化がある。

一方でマリには、「どれだけ迷惑をかけ合えるか」が重視される組織がある。グレン(GRIN)という青年団だ。

マリのグレンは、出会い、娯楽、交流の場であり、同世代の若者が集まる場である。同世代の仲間十〜二十人で組織し、マリ茶を飲みながら交流して、勉強や生活、お互いのことを語り合う。同じ地域の人とつくることもあれば、地域の違う人とつくることもある。はっきりとした決まりはない。

グレンで一番大事なのは、ケンカして仲直りができること。「引きずらない」ということだ。このため、ケンカも重視される。あたり障りのない付き合いではなく、正直に不満も言う。ぶつかって、殴り合っても、また仲直りできるという関係だ。中途半端に、表面的に「いいね」なんてことは、誰も言わない。お互いに「これは迷惑だろう」と承知した上で迷惑をかけ、迷惑を認め合う。迷惑をかけてなんぼの世界である。

正直、面倒くさいこともある。けれど、それでも受け入れていく。遠慮がないからこそ、損得勘定のない、無償の関係がつくれるのだ。

グレンの原形は、少年から青年になるときの「割礼」という通過儀礼にある。男性器の包皮の一部を切除する儀式のことで、当時、同世代の男の子たちは同時に割礼を受けていた。処置に先立つこと一カ月くらい前から集団生活をして儀式と伝統を教えられる。その日々をともにした人たちがグループになる、というのがグレンの始まりなのである。

十歳前後でこのグループがつくられ、実際の通過儀礼は十三〜十四歳。年齢の幅は二、三歳。十〜十五人のグループで、一緒に成長し、絆を深める。

通過儀礼がなくなった現在でも、グレンの文化は残っている。同世代の青少年が集まり、秘密を共有し、ある意味で人間性が育まれる場所。いろいろなことを共有する集団になり、ここを通過すると、地域の中での存在が変わってくる。いろいろなことを担う若者集団になっていく。

恋人と付き合うときも、結婚のときもグレンの仲間に相談する。大人になっても続く関係で、そこで多様な価値観が育つ。グレンの仲間は、成長に伴い歩む道は分かれていくけれど、それでもやっぱり戻る場所がある、という帰属意識がとても高い。

六年間のブランクがあった私にとっては、バマコに帰ってからの勉強会は、新しい自分のグレンをつくったような感覚だった。今でも私や私の実家は、その時のメンバーとつながっている。

みんな、グレンの関係はずっと続くことがわかっている。精神的な支えになり、社会的な支えにもなっていく。全員が立派になるわけではないけれど、落ちこぼれる人に対しては、みんながどうやってその人に説教するかを考え、親以上に親身になる。「最近ちょっと姿勢が悪いよ」「お酒はやめろ」などというアドバイスもする。グレンには、「見捨てる」という習慣がない。

グレン文化で育った私には、日本人の「迷惑をかけない」文化は不思議でたまらない。仲間同士なのにいつも遠慮しているし、いつ仲間になるんやろなと思いながら見ている。本音を言い合える関係でなければ、「この人は本気で私のことを思ってくれている」ということにはならないと思うのだが。

私はそこだけは譲りたくないし、「日本化」されたくないと思っている。あなたのことを思うからこそ、自分の気持ちをちゃんと正直に言う。それは、学生に対しても、教職員に対しても同じ。表面的にちょっと褒めるようなことは、絶対にしない。

私が日本に来て最初に苦労したのは、この部分のギャップだった。

日本では、その人の意見や姿勢を否定すると、「人格を否定されている」と思われることがたびたびある。けれどそれは違う。人格を認めているからこそ、意見や行為を否定もする。人格を否定しているなら、意見や行為を気にしなくていいのだから。「サコに否定された」「反対された」と深刻に受け止められるけれど、別にそれはその人の意見や行為に対して言っただけであって、その人自身を否定しているわけでは全くない。そこがピンとこないというのは、意見や行為と人格が分離していない、ということではないか。

日本には、衝突を避けたり、協調しないとダメだったり、という文化もある。それは実は、「協調性がない」ということではないかと、私は思うのである。「なるべくぶつからない」とか、「できるだけちょっと避ける」とか、「意見を言うとあの人は傷つくから言わない」とか、「何かごまかしたり見て見ぬ振りをしたり」というのは、その人に対して誠実ではない。単に、表面的に協調しているようにつくろっているだけではないか。

私にしてみれば、「空気を読む」というのは、本当の意味での協調性を否定することに思えるのだ。

第二章

# ヨーロッパだけが世界じゃない

——サコ、異文化に出会う——

中国、南京市の東南大学留学時代　1988年

## え、なんでアジアやねん

高校三年生の六月ごろ。バカロレア（大学入学資格試験）を受け、成績優秀者に対する奨学金をもらって国外に留学することになっていた私は、教育省の壁に張り出された一覧表を確認して、絶句した。

そこには、私の留学先が記されていた。「中華人民共和国」と。

「え」

留学先は自分で選べるわけではない。教育省が各高校のリストに基づいて留学させる人を選び、成績や専門性から判断して行く先も決めるのだが、私の想定の範囲にはない国だった。

「え、中国？　なんでアジアやねん！　ヨーロッパちゃうの？」

留学先では、建築を勉強しようと思っていた。アフリカの建築には、たくさんのヨーロッパの人やヨーロッパの大学出身者が関わっていたし、ヨーロッパに行けば建築を多面的に学べると期待していた。

同じ高校でのバカロレア合格者の中でも私は、かなり上位におり二、三人しか獲得していない「優」の評価をもらっていた。当然ヨーロッパやアフリカにある特別な建築大学に行けるものだと思っていた。留学先として中国は全くの想定外だった。

その足で奨学金の係に抗議に行って理由をたずねると、単純に、学生に給付型奨学金を支給している中国からの返事が早かったからだという。そのころ、中国はアフリカと友好関係を築くことに力を入れていた。

ここで一生懸命「中国はいやだ」と言い張れば、別の国に変更してもらえる可能性はゼロではなかっただろう。ただ、返事がいつ来るかはわからない。

留学先がアジアであることには正直抵抗があった。けれど決まったものだから、思いきって行ってみることにした。

親から離れ、あのわけのわからない親戚会議からも離れての六年間の中国留学生活。それは、私にとって大きなプラスを生んでくれた。

「世界は広い」

それが、中国で得た感覚だった。

フランス語圏の教育を受け、フランスのシステムを信じ続け、フランスはすごい国だと思っていたけれど、そうでもない。フランスやヨーロッパだけが世界ではない。「崩されたフランス神話」だった。

一年目に通ったのは北京語言大学という語学系の大学である。

そこで勉強している外国人は八百人以上おり、聞いたことのない国の人もいる。イギリス人、イタリア人、フランス人、スイス人、ドイツ人は一緒に見えるけれど、話してみると違う。アジアの中でも朝鮮人、ネパール人、バングラデシュ人もいれば、日本人もいる。世界が見える。

もしヨーロッパにいたならば、きっと一生懸命ヨーロッパに同化しようとしてしまい、フラットに世界を見る、つまり世界を同列に見ることはできなかっただろう。

嬉しかったのが、夏休みにマリに帰ると、たとえば、ヨーロッパに行った友達より自分の方が世界に対する知識があると感じたことだ。

彼らも留学生だが、結局、フランス人にしてみれば、違う文化を持つ国の人というわけでもなく、かといってフランス人でもない。彼らはコンプレックスを克服するために、一生懸命フランス人っぽくなろうとしていた。

一方の私は、どう頑張っても中国人っぽくはなれない。だから逆に世界や自分について、もう一度問い直す期間を過ごせた。マリ人のアイデンティティについて考えるようになり、自分の世界的立ち位置が見えてきた。

語学を学んだあとは南京の東南大学に進学し、建築学を専攻した。学費、宿舎費が免除され、生活費ももらっていた。当時のルーマニアやユーゴスラビアなどの国に留学したマリ人よりは生活しやすく、果物など農産物も豊かだ。毎週土曜日にはせっせとパーティーを開きつつ、もちろん勉強にも真面目に取り組んでいた。

中国の学生に比べ、私たちは優遇されていた。

中国の学生も私たちも大学の中の学生寮で暮らしていたが、生活は分けられていた。私たちの留学生寮には門番やコンシェルジュがいて、一階には警察や税関など行政機関のサテライトオフィス、国際交流オフィスがある。寮の中にレストランもあった。

中国の学生は当時、毎月食べられる米の量が決まっていて「糧票《リャンピャオ》」というチケットを渡されていたが、私たちには制限はない。留学生も中国の学生も部屋の広さは同じなのに、私たちは二人もしくは一人で、彼らは八人か九人部屋。私たちの宿舎のシャワーは毎日お湯が出るのに、中国の学生は週に一回しかお湯のシャワーを浴びられない。

さらに、中国人宿舎は午後十時になると消灯になったが、私たちに消灯はない。私たちは楽しい生活をしていたので、彼らから見ると、「あいつらずっと電気つけて、音楽かけてうるさい」という感覚だったに違いない。


私たちアフリカ出身者を含む全ての留学生は、週末などに頻繁にディベート会を開いた。パレスチナ問題やソビエト連邦の将来、共産主義と資本主義をテーマにしたディベートもあった。知的で、刺激あふれる日々だった。

アフリカの扱いについて、中国の学生たちとはよくぶつかった。私は超自信家で、国に選ばれたエリートで来ているつもりだったけれど、中国人から見ると「ブッシュマン」。そう言われると、「なんやねん、この非文明的なヤツは」と腹が立ち、ケンカもした。「アフリカって何なんだ」ということを考えさせられ、その中で、アフリカ人同士の組織をつくり上げていった。

中国人から「差別」を受けることはたびたびあった。

「その肌の色は落ちないのか」

「においが臭い」

「おまえの国は家がないから木の上で生活するんだろう？」

こんな具合だ。

けれど、当時の中国人にだってめっちゃ臭くて、つばをはく人もいた。その人たちに言われても、ピンとこない。アフリカのことを知らないのに勝手に先入観と偏見を持たれ、差別されている気がしていた。

差別感情に加え、私たちが優遇されていたこともあってか、中国の学生たちは私たちをよく思っていないようだった。

少しずつ中国の学生と留学生との間で対立が深まっていき、ある事件へと発展していった。

## 「中国は強い」を実感した日

天安門事件の半年前、一九八八年十二月末から翌年一月にかけて中国人学生と留学生が衝突する事件南京でが起こり、私たちはそれに巻き込まれてしまった。

当時、南京には留学生が在籍する大学が五校あった、まだ街に外国人の遊べる娯楽施設がなかった時代で、毎週末、大学持ち回りで留学生宿舎で開かれる手作りディスコパーティーが、留学生の数少ない楽しみの一つだった。

一九八八年十二月二十四日の夜、中国人学生と留学生の間で暴力沙汰が起こった。この日、ある大学の留学生宿舎でクリスマスパーティーが行われていた。このとき、アフリカ出身の留学生が中国人とぶつかってしまう。これがケンカに発展してしまった。

翌日、二十五日昼、パーティー会場だった大学の留学生宿舎に中国人が集まってきて、殴り合いが始まった。ビール瓶を投げ合い、石を投げ合う。

「これはやばい」

留学生たちは警察に通報し助けを求めたが、なかなか来てくれない。その大学の留学生が他校の留学生にも「ここに留まっていては危険」と拡散した。

二十六日、南京から北京に避難しようとアフリカを中心とする留学生たちが駅に集合した。そこからは、混乱の連続だった。この日の夜には、中国の公安局や警察が駅にやってきた。

列車に乗ろうとすると、「街なかでデモがあって君らを探しに来る六千人規模の集団がいる」と中国の警察に制止され、「安全な場所に移動しましょう」と用意されたバスに無理やり乗せられ、郊外の工場内の宿泊施設に連れていかれた。

そして三十一日のお昼時。食堂でランチを食べていると、機動隊に囲まれ、私たちの仲間数人が連行された。残った私たちはまた別の場所に移動させられたのだが、何が起こっているのか、みんなわからなかった。

次に連れていかれた先で過ごした数日間、大学の関係者らが入れ替わり立ち替わり訪れ、「大学に帰ろう」「いや、帰らない」と押し問答をした。私たちは皆、困惑しながらも、留学生がこんな目にあわされたことに憤っていた。

事件は大ごとになったが、数日後、この事件に関わった留学生が集められた場所へアフリカ大使連盟の代表が来て、こんな言葉で私たちを牽制した。

「中国は、我々と長い関係のある仲間です。中国とは何があっても友好的に解決することができます」

留学生は失望のなか、大学に戻った。

同年一月、当時アフリカ連合の議長国だったマリの大統領が中国を訪問し、アフリカの留学生代表と面会した。

私は留学生を代表し、南京の事件の経緯と、事件の中で負傷した留学生の状況を大統領に説明した。そして、「これは大きな問題であるので、アフリカ連合に考えてもらいたい」と訴えた。

大統領の第一声は、こうだった。

「あなたたちが来た目的は、政治ではなく勉強。何が起こったとしても、中国は仲間として解決策を見出してくれる。こういう問題もそうだろう。あなたたちは西洋の価値観に洗脳、汚染されている。その西洋でも仲間の留学生が差別されたり殺されたりしていることを知っているか？　中国ではそこまで至っていない。彼らはあなたたちを人間として尊重している」

私たちはどうすることもできなかった。


中国の学生たちのくすぶる不満は、一九八九年六月の天安門事件へと発展した。民主化を求める学生たちのデモ隊に軍隊が武力行使し、多数の死傷者が出たと報告されている。

事件後に天安門の付近を訪れると、銃撃の跡があり、ガラスが割れていた。生々しい風景を見たが、事件後は、誰も具体的なことを言わなかった。中国人学生と話しても、「我々が悪かった、政府に迷惑をかけた」としか言わない。天安門事件の話をするのはタブーになった。

国外では大きな問題になったが、国内では何事もなかったかのように、皆が生活に向き合っていた。たくさんの死者が出て、逮捕者が消されたとも言われているけれど、今も全容が明らかになっていない。

中国政府は強い。

世界にはこういう国もあるのだと知らされた、強烈な出来事だった。

## 「スープの国」ではなかった日本

中国にいたころの私にとって、「日本」は謎の存在だった。

日本人留学生の友達は多く、日常的に一緒に遊んでいたけれど、文化が違うと思っていた。

電化製品をいっぱい持っていて、いつもレトルトカレーを食べている。

日本到着。大阪国際空港（伊丹空港） 1991年3月

「スープが飲みたいな」と言うと、すぐにパックが出てきて、お湯をかけてあっという間にできあがる。

何やら「カイロ」とかいう携帯用の暖房グッズも持っている。また、小型なのにとてもいい音の出るスピーカーを持っている。

とにかく人工的に作られたものを好んで使っている日本人。きっと、合理的、機能的に作られた工業製品に囲まれて暮らしているのだろう。

そんな印象を持って初めて日本に足を踏み入れたのは、中国に留学していた一九九〇年の夏。マリ人の友人二人と三人で、日本の友人宅を訪ねた。数週間かけて東京や京都を旅した私は、予想を大きく裏切られることになる。

船で大阪港に到着して驚いたのは、あふれるほど人がいるのに街に清潔感があることだった。中国では人々が常にケンカモードだったのに、ケンカもなく穏やかで、なんだか誠実な空気が醸し出されている。道を聞けば丁寧に教えてくれるし、みんな、私たちに対して気をつかってくれる。それはとても意外だった。

中国にいる日本人留学生は、いつも人から逃げようとしていた。日本人同士で固まって、他国の留学生と関わろうとする人は少数派。中国に留学しているのに、日本人だけのパーティーや飲み会をして、なるべく他の国の人と触れ合わないようにしている。何のために来たのかよくわからない。それがある種パターン化していて、日本人みんなが同じような感じに見えていた。

ところが、日本にはいろいろな日本人がいる。ファッションも、髪型もいろいろある。分厚いメガネをかけ、カメラを持ち、合理的に動いてスープを飲んでる人たち……だけじゃなかった。

中国では、日本人留学生の部屋を突然訪ねても大抵はきれいに片づけられていて、みんな隙がなかったけれど、日本で友達の家に泊まると、それも違っていた。

お父さんはパッチ（ステテコ）一枚で、だらしなく過ごしている。お母さんはビールを一杯ひっかけて、わけのわからんテレビを見て「あっはっは」と大笑いしている。

パターン多いやん。面白い。

日本にもこういう明るい社会があり、社会性や地域性やコミュニティ感覚があって、人懐っこい人間たちがいる事実を、初めて確認した。

そう。日本はスープとカイロの国、ではなかった。

日本人はロボットではなく、人間だった。


滞在中は、とにもかくにも驚きの連続。特に不思議だったのは、京都で見た祇園祭の風景だ。

ちょうど山鉾巡行の日。男たちが「変な服装」をして、人がいっぱいいて、何やらでっかいものを引っぱっていた。

私たちは、呆然とした。

「なんであんなもん引いてるのか、意味がわからへん」

「かけ声みたいなん、どこから出てるんやろ」

「めっちゃ危険やん」

先に東京の発展ぶりを目にしてからの京都だったから、なおさら混乱した。同じ日本なのになんと多様なことか。

いくつかのお寺へと足を延ばし、庭を見て回った。お茶を飲んで、鴨川を見て、それから大阪で開かれていた花博で、ジェットコースターに生まれて初めて乗った。

ジェットコースターのリスクは、もう百パーセント。死ぬかもしれないと思える恐怖。乗っている間じゅう、マリ人の友人と一緒に叫んでいた。数キロ先まで聞こえるような大声で。

## 四畳半一室、そして「やんか」

中国に戻ってからも日本旅行の興奮はなかなか冷めやらず、日本人留学生を捕まえては日本の面白さについて話をした。けれど、相変わらず彼らは大して近づいてはくれなかった。やはり、彼らは変わっている。

けれどもう、日本人がちゃんとバラエティに富んでいることはわかっている。日本への興味が薄れることはなかった。

ちょうどそのころに出会ったのが、日本人の研究者である杉野丞《のぼる》先生ご夫妻だ。小さい男の子がいて、仲よくしてもらっていた。

そして、日本語に関心を示し始めた私に、杉野先生はこう言った。

「君の学んでいる内容は、日本でもよく研究されているよ」

私のテーマは建築設計で、デザインを学んでいた。当時の中国では、問題解決型の研究はあまりなく、どちらかというと、現在の問題を見るよりもどんどん新しいものをつくっていくような傾向があった。もう少し問題解決型のダイナミックな研究がしたいと考えていた私は、中国のスタイルに少々物足りなさを感じていた。おそらく杉野先生は、そのことをわかっていた。

日本では組織的に調査や研究をしているらしいと聞き、実際に日本を見たことで、私は、戦後ここまで日本がどうやって成長したかということにも興味がわき始めていた。アフリカにとっても参考になることがたくさんありそうだった。

「よし、日本に行ってみよう」

一九九一年三月、大阪に到着し、四月、大阪にある日本語学校に入学した。

「え」

大阪に到着し、これから暮らすアパートの部屋の扉を開けた私は、自分の目を疑った。四畳半一室。狭い。古い。街に行けば超発展してるのに、これはどういうことだ。用を足すのはボットントイレ。こんなものがジャパンにあったとは。

お風呂は共用で、沸いている時間と曜日が決まっていて毎日は入れない。全てが驚きばかり。中国に留学していた日本人の家は、超立派なマンションや一軒家だったのに。

夜になると、自室の窓から見える学生はみんな麻雀をやっていた。賑やかな様子だけれど、私とは誰も口をきいてくれない。ばったり会っても「うす」とか挨拶されるだけ。だいたい、「うす」ってなんやねん。

何やら宗教的な人たちが突然私を訪問し、「あなたの血が汚れてるからきれいにします」などと言ってきたときも、アパートの住人は冷たかった。その人たちが帰ると、「そういう人たちは悪い人だから話を聞かなくていい」と一言だけ告げ、ドアを閉める。そんなことを言うのなら、どう悪いのか教えてくれよ。

とにかく、友達がいないのはつらかった。パーティーもできない日々は、なんと寂しいことか。

しばらくしてようやく「ちゃんぽん」というサッカーチームに入り、日本在住外国人や日本人との交流が生まれてきた。パーティーする仲間もでき始めた。

これでこそ、本来の自分だ。友人を探す過程で、オージーボールにも参加した。

日本語学校で三カ月学んだころには、アルバイト探しも始めた。

最初に決まったバイトは、当時大流行していたディスコ「マハラジャ」（大阪マルビル）のドアマン。蝶ネクタイをし

NOVA、フランス語講師アルバイト　1991年

て店の入り口に立ち、「何名様ですか?」とかやるアレだ。

一日試しに働いて「なかなかいいじゃん」となった時、日本語学校のクラスメイトからバイトが決まったという話が入ってきた。語学教室の「NOVA」だという。彼女はドイツ語が専門だけれど、フランス語の先生も探しているというではないか。

「マジで!」

蝶ネクタイのバイトは、一日で終わった。

それにしても、日本語学校で教わる内容は、易しすぎた。文法は習得できるけれど、あまり使えない日本語だ。

一生懸命勉強しているはずなのに、電車の中で乗客の会話を聞いても、何を言っているのかさっぱりわからない。

会話文の最後には、いつも「やんか」がついている。「やんか」のことを知りたいし、「やんか」を使ってしゃべりたい。

「お茶しばく」も「ナンパ」も、どうやら生存のための大事な言葉らしいのだが、これまたわからない。

日本語学校のクラスメートとパーティー　1991 年

「先生、超大事なこと忘れてんちゃうか」

そんな私の疑問も、スルーされてしまう。

こうなったら独自に勉強するしかないと、私は奮起した。

「先週の土曜日は、難波でナンパしてお茶しばいた」

「ブイブイ言わしてる」

オリジナルの例文を作って発表したら、本当に私が遊んでると思われていたようだった。

日本語学校では、一年か一年半で日本語を勉強し、大学院の試験を受けるのが一般的とのこと。けれど、そんなに余裕はないし、何よりもそこは、関西弁や生存のための言葉を教えてくれない。ちょっと違うかなと考え、半年をめどに自分で大学を探し始めた。

研究室を探してアプローチする中で、快く受け入れてくれたのが、当時京都大学で建築計画学の教授を務めていた故・巽《たつみ》和夫先生だ。日本に来て半年で準備して京都大学に研究生として入ったというので、日本語学校の先生たちは驚いていた。

一九九一年九月に研究室に入り、翌年春に大学院の修士課程に入学。大阪から京都に引っ越し、大学が修学院《しゅがくいん》に持っている国際交流会館に入居した。

共有スペースにはパーティールームや卓球台、個室には冷蔵庫やベッドがついている。しかも、トイレはボットンじゃない！

快適に暮らせる予感がした。

## マリの住居と日本の畳

こうして、私の日本での大学院生活が始まったわけだが、研究室の話は少し専門的になるかもしれない。とはいえ、私の研究を知ってもらうことは、きっと、人の暮らし方やグローバル化についての考え方、ものごとを見る視点などについて、立ち止まって考えてもらえる機会になると思う。というわけで、研究を始めたあたりから語ってみたい。

建築と人の暮らしというものは、密接に関係している。そう言われて、どんなケースをイメージするだろう。

研究室のテーマであった建築計画では、「人の暮らし」という視点から、どう建築空間を創造していくかを突き詰めていた。建物をつくるときには、まず人の行動を調べ、その空間に求められている条件に応えていく。空間要求に応えるためには、「どんなものを建てるか」「誰がそこを使うか」「その人の行動パターンは」という視点が欠かせない。私たちは、建築学の中でもここの部分に焦点を当て、社会学的・人類学的な方法などで、人間集団の行動を調べる、ということをやっていた。

研究室に入った時は、ちょうど多くの公団住宅の建てかえの時期でもあり、メンバーは集合住宅に注目していた。団地の中には共同空間があるけれど、住民たちは一体どんなふうにその空間を使っているのか。住んでからどのくらい時間が経てば「ここは自分の空間だ」と感じて愛着が生まれるのか、どのタイミングで自分自身も空間に手をかけ始めるのか――といったことを調べる「居住後調査」に取り組んだ。

また、建築家がつくった共同住宅のオープンスペースを一定期間観察し、そこを通る人数や行動パターンを調査したこともある。その結果から、「みんながより使いやすい空間にするためにはどうするか」ということを考察していた。

研究生として受け入れてくれた巽先生が外部の専門家らと立ち上げた町家型集合住宅のプロジェクトにも、学生のワーキンググループとして参加した。町家がなくなっていくときに日本のコミュニティがどうなっていくのか、またプライバシー意識などの調査に参加したり、手伝ったりした。一軒一軒インターホンを鳴らして調査票を配って回収し、定量的・定性的なデータを分析した。

巽先生は、もともと建設省（現・国土交通省）の研究員。京都大学の建築計画講座のトップだったが、私が入った翌年に定年退職された。

巽先生の退職後、建築計画の分野で集合住宅やホテル、学校などの研究を深めながら、当時の助教授と一緒に環境問題を技術的に解決するための環境共生建築も研究した。

環境共生建築というのは、つくり方や素材などで環境に配慮する建築で、たとえば、窓を開けるとか通気性をよくするようなつくりにすることで、エアコンを使うことなく二酸化炭素の排出量を減らす、といった工夫ができる。住宅メーカーや建設会社の人たちとも交流し、環境に優しい技術や先進例を調べていた。

そうこうしているうち、博士の一年目が終わるころに、大手建設会社で設計部長も務めた新しい教授が別の大学を経由して京都大学にやってきた。


「おまえは宝物を持っている。それはマリだ。マリの研究をやれ」

新しい教授は、環境共生建築を研究する私にそうすすめてくれた。

環境問題と併せてマリの研究にも取り組もうと、手始めに夏休み、一緒にマリへ行くことにした。

大きな学びを得たのは、その時に開いた講演会。これまでに取り組んできた環境共生建築の話をしたが、会場の反応は散々だったのだ。

「エネルギーを使わないとかなんとかって、おまえ何言ってんだよ。ここには電気が十分に供給されていないところがまだあるのにさ」

「省エネとか言っても、『エネ』がない。何を省くの?」

「『窓開けて』って言われても、別にいつも開けっ放しだし。『自然の風でいい』って、自然の風しかないんだけど?」

笑いとばされ、恥ずかしい思いをした。環境問題の格差を感じた瞬間だった。こちらが勝手にやっている環境問題というのはアフリカにとっては少し違うんじゃないか、環境問題って実はエゴじゃないか、これは先進国の問題じゃないか、ということに気づかされた。

自分が住んでいた国なのに、外に出て初めてマリの実態に目を向けることができた。今の自分のテーマとの出会いをつくってくれた、重要な出来事だった。

新しい視点を持ってマリの居住空間を調査すると、これまで見ていたものとは違った世界が見えてきた。狭い範囲で「環境共生」などと言うのではなく、地球規模で考えたときにどんなものが考えられるか、発想の転換が必要だということもわかった。

それは、空間と人間の、より現実的な関係だった。

マリの研究で得た大事な視点の一つは、近代建築にはない、マリの住居が持つ素晴らしさである。

親戚やら赤の他人やら、何十人もの人が一緒に住むマリの住居は、調査研究するまで、どちらかというと恥ずかしい空間だと思っていた。

日本で高い技術を身につけ、より高いところを見て、たくさんの環境共生建築をつくっていこうと考えていた。マリに見どころがあるなどとは全く思っていなかったわけだが、その感覚は間違っていた。

たとえば、ヨーロッパで見られる多くの空間というのは近代的になっているはずだが、簡素でシンプルにするがゆえ、実は心理的、あるいは人間的には貧困になっている部分がある。それに対してマリの空間は、人間味があふれている空間だとわかったのだ。

それまで勉強してきたテーマの中心は、合理性や機能性。それは近代建築の基本で、「形は、機能に従ってつくられる」という理論である。つまり、機能と空間は一対一の関係。複数の機能が同じ空間で行われるなどということは考えられないし、「ダイニング」と「寝室」が同じ部屋であることはない。

だが、マリの中庭は、調理器具を出して調理しているその瞬間は「台所」になり、調理が終わると別のことが行われて別の機能を持つ。最初から壁で空間をつくるのではなく、人が必要な行為を行うために必要な道具を持ち寄れば、空間はその瞬間にその要求に応えてくれる。

これは日本の畳の部屋も同じだ。一つの部屋なのに、ちゃぶ台を出したらその瞬間に「ダイニング」になり、片づけて布団を敷いたらその瞬間に「寝室」になる。マリは、近代建築と畳の違いも教えてくれた。

空間はもともと殺風景で意味がなく、そこで何かをすることによって人間が意味を与えている。私たちの行為によって、空間に意味がつけられていくのだ。この「意味論」的なものを含めて空間の機能性を見つめる必要があるのではないかと考え始めていた私は、マリでの調査で、その確証を得たのだった。

こうして私の研究は、ここを起点に、空間の機能性や意味、文化性に焦点をシフトさせて、空間を人類学的な視点で見ていくことになる。

近代建築の利点ばかりを見て、マリの住居を恥ずかしいとさえ思っていた私に、文化の違いから別の素晴らしさを見出す視点をくれた京都大学での研究は、大きな意味を持っていた。

しかしながら、大学の研究室のコミュニティというものは、独特である。

研究は大変面白く、毎日がエキサイティング。その一方で、先生たちの板挟みになり、研究室の人間関係は実にややこしい、ということもまた、学ばされたのである。

## 「おない」文化の謎

「おない」という文化があるらしい。

そのことを知ったのは、京都大学で研究を始めて間もないころだった。

「おない」とは、同い歳、タメという意味である。日本ではどうやら、社会人でも会社の中でも、同じ年齢であることや同期、先輩・後輩という関係が重視される傾向があるようだ。年齢で人との関係を決めるような習慣はマリにはないため、日本の「おない」文化には、今も違和感しかない。

私が出会った日本人には、会ったらまず、その人と自分がどういう立ち位置かを確認した上で関わるような人も多く、不思議だった。しかも、はっきり「何歳ですか」と聞かず、探り探り。「小さいころにどんな番組を見ていたか」などということを話題にしつつ、盛り上がる。

それまでかしこまった丁寧な敬語で話していたのに、「おない」だとわかった瞬間の距離の縮め方ときたら、普通じゃない。

「なんや、おないやんか！」って、なんやねん。急に変わるからビックリするやんか。

その次に来るのは血液型。「A型っぽい」とかあまりに何度も言われるので、病院で血液型を調べてカードを作る羽目になった。

どうやら干支も気になる要素らしい。周辺の情報で人物を判断されることが多く、よくわからない。


もう一つ、関係づくりにおいて「違う」と感じることがある。日本人は、友達同士をまぜるのがあまり好きではないように思えるのだ。所属するいくつかのコミュニティを器用に使い分け、それぞれの中で人間関係を築いている。

私はというと、まぜるのが大好き。あっちの友達とこっちの友達を気にせずまぜこぜにし、みんなまとめて仲よくする。

私が開催するパーティーでは、全く交流のない複数のコミュニティの人たちが、一つの場所に集っている。もしかしたら最初は気まずい人もいるかもしれないけれど、それはそれ。あまり気にしない。属性の違う人が同じ空間にいるというのは自然なことで、そこから何かが生まれるきっかけにもなると、私は思っている。

修学院の国際交流会館に一年間住んだあと、昼間は大家さんが二階をアトリエとして使っている民家の一階を借りて暮らし、毎週末、パーティーを楽しんでいた。参加者は数人だったが、大家さんはとても好意的な方で、毎週パーティーをする私に、「ここは狭いから私の家でどうぞ」と声をかけてくれた。すると参加者が増え始め、パーティーは口コミで広まり、多いときには三十人も集まった。

たかがパーティー、されどパーティー。多様なコミュニティの人たちを招待し、いろいろな人が来る。その場は、さながら国際交流イベントのよう。研究室の仲間やサッカーチームの仲間にNOVAの先生や生徒、中国留学時代の友人、アメリカ人や中国人、パナマ人……。いろいろな属性の人たちが、私を通じてつながっていた。

大家さんからすれば大変な迷惑だったに違いない。けれど、文句や愚痴らしきことをぶつけられたことはない。それどころか、「パーティーの参加者がお互いにわからないといけないから」と言い、「家族ジャーナル」のようなものを作って皆さんを紹介すればどうかと提案してくれた。みんな大喜びで書き込んでくれていた。なんと懐の深い人だ。

とにかく人と遊ぶことが大好きな私。街なかのクラブでイベントを企画し、毎晩、夜遊びに明け暮れた。睡眠時間は三時間あれば十分。徹夜で大学に行くなんて、日常茶飯事だった。

中国人と韓国人の仲間と三人で、国際交流と在住外国人支援に取り組む「飛魚ボランティアサービス」という組織もつくった。一九九九年から鴨川で毎年、「ワールドフェスティバル」を開催し、人の輪を広げていった。

事務所は私の家。資金はゼロ。それぞれのコンピューターを持ち寄って作業し、翻訳通訳のバイトを留学生に回す。余ったお金で事務所の経費を払う日々。どんどん仲間が増え、多いときには六百五十人の登録があり、京都大学、京都教育大学、京都工芸繊維大学、京都府立大学、京都外国語大学、京都芸術大学、京都光華女子大学、京都産業大学、京都女子大学、京都精華大学、同志社大学、立命館大学、龍谷大学などの学生も参加してくれた。

このときに生まれたつながりから、教員の公募があった京都精華大学に入職することになった。人生はわからない。

第三章

# マリアンジャパニーズとして生きる

## ―サコ、家庭を持つ―

長男のお宮参りの記念写真　1995年

## 日本に一人残される

妻とは、彼女の両親の反対を押し切る形で結婚した。

妻の両親は昔ながらの日本人の価値観を持っていて、私のことをよく知らない。きっと、アフリカの情報もないだろう。

そんな中で、どれだけ私が「アフリカではエリートだった」などと言っても、そんなことは通用しない。

元々のものの考え方も違い、自分の以前の価値を持ってきても、ここでは共有されない。

だから、私はこう考えた。

「この日本で、尊敬される人間としての価値をつけるしかない」

いかに自分が、日本で新しい価値をつけられる人間になれるか。それを見せるしかないのだと。

そのときに特別な考えがあるわけではなかったが、留学生だからといって甘えたり、特別なことをしたりするのはやめようと思った。日本人の学生と同じ土台で、ちゃんと勉強してみせようと、そう決心した。

お互いに仕事が忙しい妻と私の間に生まれた長男は、まるで私の研究室の一員のようだった。

妻が育児休暇から復帰すると、京都大学の近くの「朱い実」という保育園に預け、私が送り迎えを担当した。行けないときにはベビーシッターにお願いし、晩ごはんを食べさせてもらう。時々、妻のお母さんが来てくれることもあった。

長男は、小さいころよく熱を出した。そうすると、保育園から「お迎えに来てくれ」と電話がかかってくる。仕事の途中で迎えに行き、研究室に連れて帰ることがたびたびあった。

息子を抱きながらのゼミ参加は当たり前。研究室の仲間に保育園のお迎えを頼むこともある。父親じゃないのに保育士さんにしっかりと顔を覚えられ、「また、あんたか」と言われる後輩たち。「俺の息子じゃないのに」などとブツブツ言いつつも、研究室のみんなが子育てに協力してくれた。

今日の晩ごはんをどうしようかという話で決まらないと、だいたいが「サコの家で」となる。みんなで材料を買ってなだれ込む。妻が帰ってくると、研究室の人たちが台所で包

二人の子どもたちと。北京の自宅にて　2000年

丁を握っている。そんな光景も珍しくなかった。

参加していた阪神淡路大震災の復興プロジェクトの打ち合わせでは、神戸まで息子を抱いて行った。当時の日本社会は、まだ子連れでの会議や仕事に慣れていなくて、他のメンバーを驚かせてしまった。合コンに息子共々参加したこともあるが、よく考えると、おかしな話である。

そんなこんなで、息子はぐんぐん成長し、この間、私たち家族は、実にいろいろな人に支えられていた。

ある日のこと。二人目を出産し、職場

復帰しようとしていた育休中の妻に、中国の関連会社へ転勤の打診があった。

中国に留学経験のある彼女は、中国での勤務を希望していたものの、乳児を連れては難しいとあきらめかけていたが、私は彼女の可能性のために行かせてやりたいと思った。だが私は博士課程で研究中で現地には同行できない。

頭を抱えたが、ふと、いいことを思いついた。

私は、マリにいる母に電話をした。

「母さん、中国に住まない？」

「いつから？」

「二、三週間後」

妻と二人の子どもたちに加え、マリからは母が中国に飛んだ。長男が四歳、次男が生後八カ月の時だ。

母は中国語がわからないし、フランス語でも字の読み書きはできない。けれど、私がいない嫁姑の生活は、なぜかうまくいった。

妻の両親は、マリの母が中国に行ったことに驚いたようだった。日本の親だったら、自分の家族を置いて外国に行くなんてことは、まずできない。「娘のために一緒に暮らす決意をしてくれてありがとう」と、わざわざ中国まで挨拶に行ってくれた。

日本人であれば、夫も、妻子を送り出すことに抵抗があるかもしれない。けれど私は、彼女に力を発揮してもらいたかった。

妻が日本にいない間に、一つ変化があった。妻のお父さんだ。

妻が中国へ行く前から私は、ボランティア活動やサッカーをしながらも、研究にいそしみ、博士論文を仕上げた。この論文によって、京都新聞社主催の「一九九七年度外国人留学生研究奨励金」を受け、それが妻のお父さんの目にとまり、少し私に対する態度が変わってきたのだ。「こいつは頑張っている」という目で見てくれていることが伝わってきた。

一人になった私にお父さんはアドバイザーになろうという姿勢を見せてくれるようになった。日本でのコミュニケーションの方法などについて、いろいろ教えようとしてくれたのだ。

二〇〇〇年一月、私が博士号を取ったときには、研究室のメンバーと、私のホストファーザーの小野内さんを呼んでお祝いの食事会を開いてくれた。学位授与式にも来てくれた。

その時、お父さんは私に、こんな言葉をかけてくれた。

「私は誤解をしていた。いろいろな確執があったにもかかわらず、君は動じずに頑張って博士号を取った。とてもうれしく思います」

スーツ代などと理由をつけて、お祝い金をくれた。

ただただ娘のことが大好きな、不器用な人だったのだ。

私のこともうまく人間関係をつくって子育てしているのを見て、「あなたも頑張ってるね」と認めてくれたようだった。京都精華大学への就職が決まったこともあり、少しずつ「信頼してもいいいんじゃないか」という空気になっていくのがわかった。

## 「ハーフ」であることはハンディか

二人の子どもたちは、中国で多くの文化に触れ、伸び伸び育っていた。フランス人学校に行き、外交官や駐在員が住んでいる外国人用の団地で暮らし、いろいろな国の人とも遊んでいたようだ。

長男のイドリサ泰和（ヒロヤス）は、非常に活発な子であった。思春期に入ると次第に、母親の言うことを聞かなくなり、中学入学に合わせて一人で先に日本に戻すことになった。

二〇〇七年、長男が帰国し、父子二人の生活が始まった。

日本で通用する学力をつけさせるため、長男はフレンチスクールではなく日本の中学校に入学させることにした。京都教育大附属桃山中学校の帰国生徒特別学級に入学すると、妻のお母さんはこう言った。

「ハンディがあるって思っていたけど、この子いいところあるよね。それに海外に住んでいたからものの見方が違うよね。心も視野も広くて」

少しずつ、考え方が変わってきたようだった。

息子二人は、それぞれにタイプが異なる。

自分が「ハーフ＝ダブル」である、ということの捉え方も、それぞれ違っていた。

長男は何のコンプレックスもなく、むしろ自分が「ハーフ＝ダブル」であることをアドバンテージにして友達をたくさんつくり、生き生きしていたように見える。

一方で次男のママドゥ亮人（アキト）は、小学四年生の終わりに妻と一緒に帰国したのだが、日本での自分を取り巻く環境に驚いたようだった。

「なんで差別されるの？」と。

中国の外国人団地やフランス人学校では、いろいろな国や人種の人がいて自分は特別な存在ではなかったのに、日本では、「自分」と「自分以外」しかいない。

頭を触られて「モジャモジャ」とからかわれたり、「リトルオバマ」などと言われたり。そんな日々に、彼はアイデンティティクライシス（自己喪失）に陥り、一生懸命「日本人にならなきゃ」というプレッシャーを感じていた。中国のフランス人学校では日本のルーツを持つことが自慢で、自分の武器だったのに、日本に戻ったとたん、それさえ否定された。そこで、彼は、せめて日本人になろうと決心した。

次男の様子を見ていた私は、彼が通う小学校で、ある国際交流団体の企画に応じてワークショップをやることにした。

タイトルは、私の名前をかけて「ザ・メイキング・オブ・ナスビタコ」。

「肌の色」というタブーを遊びに変え、あえて焦点を当てた。「ここまで黒くするの大変やでぇ」「テニス焼けやでぇ」などと冗談を言い、子どもたちとじゃれ合った。

そこから、子どもたちも次男も変わった。

次男の同級生がわが家に遊びに来るようになり、私と一緒に料理を作ってパーティーを楽しんだ。「サコくん、いいね。うちのおとんは絶対に料理を作ってくれない」と言われたり、「絶対にナスビタコになりたい」という子まであらわれ、「やめとけ」と説得するのに苦労した。

次男も長男を追うように中学受験し、京都教育大附属桃山中学校に入学した。一方の長男は、付属の高校の内部進学受験をせず、同志社国際高校を受験した。「そっちの方が面白そう」というのが本人の言い訳だ。

兄が新しい学校でバスケットボールを頑張って楽しそうにしているのを見て、結局次男も、またまた同じ同志社国際高校に進学。他に選択肢もあるのに、わざわざ同じ道を選ぶのだから、兄弟は不思議だ。

## 子どもにも役割がある

わが家の子どもたちのお弁当は、注文式をとっていた。最初からそうだったわけではなかったが、必要なときに子どもたちから親に注文してもらい、弁当の中身も自分で決める。必要ならば「必要だ」と言い、作ってほしければお願いするのは当然のことである。

妻は、典型的な日本のお母さん。最初は、頼まれもしないのにお弁当を一生懸命作り、日本ではそれが「普通のこと」だと言う。私には、まるで義務のように見え、母親が子どものために弁当を作らなければ義務を果たしていないかのように思われるというのは、何かが違うと思っていた。

洗濯は、スポーツをやっている息子たちが汚れた分を自分で洗う。皿洗いは、息子たちが週替わりでやる。息子の友達に聞くと、ほとんどが「そんなことはやってない」と言うらしい。

父親が転勤で国外に行くケースはあるけれど、母親が国外にいるという家庭もそうそうない。そのせいか、私の周りはママ友ばかりだ。

そのママ友たちは、気をつかって自分の夫を呼んできてくれることもあったけれど、私は思っていた。

ママ友でいいじゃん！

なんでわざわざ、交流のないお父さんを呼んでくるんや！

父とか母とか関係なく、いろいろなパターンがあっていいはずなのに、日本人はヘンなところで気をつかう。

家族で特に大事にしていることは、二つある。

一つは、コミュニケーションである。

わが家の連絡手段は、基本的にオンライン。コミュニケーションは、物理的な空間を持たなくてもできる。家族に支えられていること、つながっていること、その意識があれば、空間を共有しなくてもいいと思っている。

妻は再び中国で勤務し、現在は私と子どもたちの三人が京都。長男は就職し、次男は大学生。私も国内外の出張が多く、移動と予定はオンラインでやりとりする。食事も一週間前に内容を決め、来週は誰が何をいつどこで食べるかという予定を全員が出し、食材を生協で購入する。国外の妻も含め、毎日お互いの予定を共有し合うのだ。

もう一つ、大事にしているのが挨拶である。

「お願いします」「ありがとう」「おはよう」「行ってきます」「ただいま」。これらをしっかり言うように徹底する。

日本の家庭では、朝起きても親に「おはよう」と言わなかったり、お母さんが何か作ってくれてるのに「ありがとう」と言わなかったりすることがあるという。その感覚はよくわからない。

当然、親には義務がある。けれど、子どもだって親を尊重しなければならない。日本では、親が「まだ子どもだからわからない」と言うことがあるけれど、結局わからないまま大人になり、社会に出てしまう。子どものころから、モラルの勉強も含めて他者に対する姿勢を徹底することが必要ではないだろうか。

私は、「子どもの世話は全て親がやらなきゃいけない」という考え方をしたことがない。子どもにも役割があると思っている。大学生になっても親が干渉してきて関わっている姿を見るけれど、それにはやはり違和感を覚えてしまう。

お弁当の話もそうだが、お母さんに対するスタンスには驚く。尊重する気持ちに欠けるように見えるときもある。

マリ人は、お母さんを敬う気持ちがとても大きい。日本では、街なかでもお母さんを「くそばばあ」と罵る子どもがいるけれど、マリではありえない。そんなことをした日には、隣にいるおじさんが「バチン」といっちゃうくらいの出来事だ。

けれど、今の日本にはそういう文化もない。

マリでは、子どもたちの姿勢を正さなくてはならないとき、たとえ親がしなくても親戚一同や地域の人がする。だが日本では、自分たちの子どもは、自分たちだけで育てなくてはいけないのだから、大変だ。

## 日本国籍を持つマリ人

私は日本国籍を持っている。取得したのは二〇〇二年のことだ。

ずっと以前から国籍について深く考えていたというわけではない。どちらかというと、勢いで取ったというのが正直なところである。

手続きに踏み切ったのは思いつきだったが、実は、それなりの理由がある。

永住ビザを申請したのが始まりだ。これから日本を拠点に研究、教育、仕事をするにあたり、入国管理局で永住権の申請を相談した。私なりに、申請のための条件は揃っていると思っていたのに、「ダメだろう」と言われたのだった。申請条件に明確なルールがなく、あっても、これらは共有されていない。あるのは書類を書くマニュアルだけ。最近はようやくルールや条件の提示をする必要性に気づいたようだが、国籍も同様で、当時は申請書類の一覧と書き方のガイドラインがあるものの、明確な基準が申請者に示されない。

ルールがないのだから、もうダメ元で永住権の申請書類を書いてみると、なんと、取得することができた。そこで、しばらくして生活や仕事に必要性を感じてから日本国籍も申請してみることにした、というわけだ。

弁護士と帯同せずたった一人で法務局に向かうと、職員はびっくりした様子だった。

「手続きは誰がしますか」

「私です」

「書類がとてもたくさんありますが、誰が書きますか」

「それも私ですけど」

そ、そうなんですね……と戸惑いながらも、快くサポートしてくれる職員。法律や手続きをよく知る弁護士がいないから、厳しく接しても仕方がないと思われたのかもしれない。とても親切だった。

収入が安定していることや、日本に残り、国籍を取得する目的があるかどうかを確認され、交通違反歴はちょっと減らした方がいいよ、などのアドバイスもくれた。

約半年かかりつつも、わりといい感じで申請が進んでいったのだが、問題になったのは名字だった。

それまでの私は家族の住民票の「備考欄」の存在であり、妻は結婚後も旧姓のままだった。だが、国籍取得により、妻と同一の姓としなければならなくなった。子どもたちは妻の姓だったので（通称とパスポートには「サコ」が追加されていたが）、私が妻の姓にする選択肢もあったが、私は自分の名字をなくしたくなかったことと、マリは父系社会なので子どもたちには父親の名字を名乗らせたい。カタカナの姓はいやだ、という妻と、漢字を当てることで折り合いがつき、戸籍上の姓は「佐古」となった（パスポートでは非ヘボン式、つまりアルファベット表記はマリのスペルのまま）。

日本国籍を持っているので、ではサコは日本人になったのかと問われると、そうではない。アイデンティティについては、思うところがある。

国籍を申請したのは、「私はお客さんではない」という思いからだ。私は日本を拠点に生活し、日本で税金を納めている。日本という国が、どういう法律で自分を管理してくるのか、というところには当然関心があるし、口出しをしたい。選挙権は持つべきだと思っている。国籍を取る意味は、そこにある。

だからといって、永遠に日本に住もうという意味ではない。そして、一番重要なのは、私は日本国籍を取ったけれど、日本文化と同化はしていないということだ。私はマリ人であり、マリ文化を持った日本国籍の人間だと自覚している。日本の多様化を体現する例として私がいると思っている。

日本国籍を持つアジアやヨーロッパの人たちの中には、日本の名前をもらう人もいるけれど、私はそうしない。マリ人としてのアイデンティティを持ち続ける。そこを貫くことにこだわっている。日本文化に同化するつもりで国籍を取ったわけじゃないということは、私の中で非常に重要な意味を持っている。


国際結婚には、苦労もある。最初に結婚を反対された義父母との関係を築いていくのに時間がかかったように、価値観の違い、文化の違いというのは、気にならないといえば嘘になる。

グローバル化の時代で人の移動が容易になり、コミュニケーションツールも増えた。国外に住んでいるからといって、昔ほど「遠くへ行っちゃった」「寂しい」という感覚はない。

私は私の実家と毎日連絡し、妻も両親と連絡していて、距離感は昔とは変わってきている。ただ、異なる文化の人たちが結婚すると、当然生まれ育った環境が違うため、子育ての価値観もやっぱり違う。ぶつかることもある。文化の根底にある価値観がぶつかったとき、折り合いが重要になってくる。

一方で私が思うのは、日本人同士でも文化が違うことってあるよね、ということだ。私は、恋愛では価値観や文化の違いは乗り越えられず、信頼なら乗り越えられると思っている。恋愛は、相手への気持ちが冷めたら途端に我慢できなくなる。けれど、信頼ベースでよき友人というところに立てば、そこは「我慢」ではなく、ちゃんと議論して決めることができる。

「結婚は我慢」などと言う人もいるけれど、我慢には限界があるのではないか。

第四章

# 十人十色の学生たち

## ―サコ、教鞭をとる―

京都精華大学のゼミ生とマリのドコン村を訪問　2002年7月

## 遊び仲間がゼミ生になった日

京都大学の博士。日本学術振興会外国人特別研究員。毎月仕事でもらう報酬は一般的な社会人の初任給より高い。研究者の中でも特に高く、それとは別に研究費もある。

こうして並べてみると、環境や条件は全く悪くない。それなのに私は、博士号を取ったころから、環境を変えたいと思い始めていた。なんとなく窮屈で、我慢をしなきゃいけない環境だと感じていたのだ。

「どこかいい就職先がないか」

教員採用サイトの公募を眺める毎日。一番大きなポイントは「推薦が必要ない」ということだ。教授から他大学に推薦してもらうという方法が最もスムーズなのはわかっていたが、気が進まなかった。

推薦は、「恩」と「縁」である。推薦を受けて行ったなら、先生との依存関係が残ってしまう。せっかく環境を変えたのにいつまでたっても一人前になれない。それはどうしてもいやだった。

推薦を必要としない大学の公募に京都精華大学の名前を見つけた時は、嬉しかった。

主宰する外国人支援団体「飛魚ボランティアサービス」の登録メンバーには、京都精華大学の学生も多かった。学生同士で議論をすると、彼らは京大生に負けていない。京大生が「知識」で話そうとする一方で、精華大生は体験や経験で話し、自由に議論する。その内容もとてもレベルが高い。

彼らは、京都精華大学の教育理念をいつも語ってくれていた。「自由自治」の精神、学生の自主性、そして教員や職員との距離。全てにおいて面白く、このような場に入れば自分の道も開けるような気がしていた。

一つ残念なことは、京都精華大学が募集する分野に自分の専門がない。人文学部でどのように教えるのか、よくわからない。けれど、よく見ると授業の内容に「地域学」「フィールドワーク」がある。フィールドワークは京都大学時代に豊富な経験があり、得意だ。自分の専門分野である建築計画は研究としてやればいい。学生たちの持っている多様なテーマから、自分も学ばせてもらったらいいのではないか。

そんな気持ちで思いきって応募し、二〇〇一年春、晴れて専任講師となった。

採用が決定するといきなりガイドラインが少ないシラバス作成の依頼が来る。講師になったはいいが、右も左もわからない。それなのに、一年目からいろいろな仕事を頼まれるのだ。

芸術や建築系の大学院の授業、都市論、人文の大学院である人文学研究科の授業も担当した。基礎知識を持っているものと、一から勉強が必要なものがあり、いろいろな意味で自分を成長させることができる重要な場所となっていった。

新任講師としてキャンパスを歩いていると、私が京都大学にいるとき、ボランティアで飛魚に参加していた精華大生たちが、次々に寄ってくる。

「サコがおる」

「サコ、なんでおるん？」

当然である。

彼らにとっての私は、「サコ先生」ではなく「サコ」。ほんの少し前までは、毎日一緒になってボランティア活動や国際交流活動などを行っていた友人だったのだから。

突然大学に来て「先生扱いしろ」と言われても、できるわけがない。

そして、何人かの親しい学生たちの影響で、ゼミに入った学生みんなから「サコ」と呼ばれるようになっていた。

私の研究室は、学生たちみんなのたまり部屋と化し、私のゼミに入っていない学生までがなぜか入り浸っていた。そして私は常に、自分の座る場所を探していた。

いろいろと、大変である。

けれど、わがもの顔で研究室に出入りする学生たちは、何も知らない私に、たくさんの「精華」を教えてくれた。

## 旅から学ぶサコゼミ

着任した年のゴールデンウィークにゼミ生を中心とする学生約二十人と高山旅行を決行した。この旅行のプランニングは全て学生たちが自主的に行い、その企画力、行動力は私を驚かせた。座学だけが学びではないと教えられた。

同年秋には、初の国外旅行を学生たちが企画してくれ、約二十人で韓国を訪問した。研究テーマごとに小グループを作ったり、連絡網を考えたりして、安全管理までしっかりカ

京都精華大学のゼミ生と韓国・ソウルを訪問。焼肉パーティー　2001 年

バーするなど、優れた企画力を見せてくれた。

　二〇〇二年夏には、絆の深まったゼミ生たちと、ゲリラ的マリ旅行を企てた。集合は、パリの凱旋門前。そこから私は日本人十七人を連れマリに向かい、現地の大学生と交流した。

　初めて自分の教え子をマリに連れていく。正直いろいろな不安があったけれど、彼らは、そんなものは全部吹き飛ばしてくれた。私が何も準備しなくても、自分たちで旅行を手配してシナリオを作り、保険に入り、予防接種を調べ、情報掲示板を作って準備し、情報を共有しながら旅を進めた。自主的に旅をつくり遂行する力がさらにレベルアップしており、私は驚いたし、恐ろしいほど印象に残る旅となった。

次の年も、その次の年の学生たちもアフリカ旅行を企画し、とうとう、この調査旅行は正式にマリのショートプログラムという授業になった。サコゼミでは毎年国内外の研修旅行を企画、実施することが恒例となっている。

自分たちで旅をつくったメンバーの中には、その後、旅行会社や広告代理店に就職した学生もいる。

## 「夜通しの面談」が生む信頼

教員が学生に与えられるものというのは、何だろうか。

私は、学生たちに「教え込む」ということをしない。そんなことをしても、彼らのものにはならないと思うからだ。私は情報を与えることはできるが、彼らがそれを自分のものにしようとしなければ、彼らのものにはならない。

教員にとって大事なのは、学生たちがやる気を維持するためのサポートだと思っている。

ゼミで最も大切にしていたのは、一人ひとりと向き合う時間をつくることだ。私のゼミ面談はやばい。

何がやばいって、研究室で夜九時から朝まで、夜通し面談をするのだ。

別に夜中にしなくてもいい、というのは確かにその通り。

それなのにどうしてそんなことをするのかというと、卒論作成のために、朝まで頑張ろうとする学生たちを、私は全力で支えたいし、学生たちを失望させたくないからだ。

「先生は二十四時間、いつも私のことをサポートして聞いてくれてる」と伝わることで、学生たちの姿勢は変わる。

彼らがやる気を維持するためなら、私は卒論などの追い込み時期に、プライベートの時間を多少削ってもいい。本人たちがすごく頑張っているのに、教員がそれについていこうとしないなんて、そんな状況は絶対につくりたくない。

私のゼミ生たちは、バラエティに富んでいた。

ある人は建築に関心があり、私の専門性に惹かれて来る。ある人はフィールドワークをやりたいと言う。全くのノリで来ている人、空間やデザインに関心のある人……。さまざまな思いで、学生たちがゼミに入る。

いくつか共通するパターンもあった。

一つは、おしゃれ系サコゼミ生だ。人文学部にいるけれど、デザインやファッションなどに関心のある人たち。十万円もする眼鏡をかけているような、私には考えられないことをする人たちなのに、なぜか私が自分たちのことをわかってくれると思っている。「サコはハイクラスがわかる」と。

その正反対の庶民派サコゼミ生もいる。民族的な服装や、ボロボロの服。そしてドレッドヘア。その人たちも、自分たちはサコに理解されていると思っている。

もう一つは、難しい本を読んできて、「哲学の議論をしたい」などと言ってくる人たちだ。それぞれに、私のことを「理解者」だと思っているのだから、面白い。

これらのメンバーたち十数人が、バランスよくサコゼミにいた。

サコゼミの中には、調査報告書も論文もかなりレベルが高く、とにかく元気で行動力のある学生がたくさんいた。いつしか大学の中で、「元気が良い学生たちのゼミ」というイメージが定着し、「サコゼミでこの仕事をやってほしい」と頼まれることもあった。

サコゼミは、大学の中で一つの個性的なグループになっていた。徐々に「サコゼミ文化」が築かれていくのだが、築いたのは私ではない。学生たちだ。彼らが、私という人間を使って新しい文化をつくっていったのだ。私が存在することで周囲がつながり、力を発揮する。「教える」「動かす」ではなく、自ら動きたくなるような気持ちを引き出す役割を果たせたことは、私にとっても学生にとっても大きかった。

みんなの話を聞く。その姿勢は、二十四時間オープンだ。そして、学生がどんな話を持ってきても、受け止めると決めている。

とは言っても、私のところに来て結局、恋愛の話しかせずに帰る人もいる。

ゼミ生の結婚式で、こんなスピーチをしたことがある。

「恩師として呼んでもらっているので、大学で私が彼女のお世話をしたと思われるかもしれません。しかし私は、彼女の話の聞き役しかしていません。『いつも一番になれなくて、ずっと二番に回されている』という恋愛の話です」

出席者はみんな戸惑っていた。

けれどこのスピーチの続きはこうだ。

ある日、彼女が研究室に来て、「サコさん、私を一番にしてくれる人がいるかもしれない！」と言う。「まさか。そんなことねーやろ、ほんまかどうか確認したいわ」ということになり、ゼミ旅行を企画した。ゼミのみんなで、その「一番にしてくれるかもしれない人」に会いに、福岡まで行ったのだ。

そして、その彼と一緒に食事をした。

私たちは、「この人なら大丈夫」と思い、彼も、「この子は俺に本気だな」と思った。彼は、最初は軽いノリで考えていたかもしれないが、わざわざ福岡までゼミの先生とゼミ生が来る、彼女の本気度に心を動かされたのだと。

その彼が、結婚相手の男性だ。

いい話である。もちろん会場は大盛り上がりだった。

## 学生が教えてくれたこと

京都精華大学の多様性を象徴するように、私ゼミの学生たちは、十人十色。視力障がいの人、聴力障がいの人や、LGBTQなどマイノリティ意識のある人もいる。私はいつもフラットな姿勢でいるためか、トラブルメーカーと言われているような学生も、たくさん集まってくる。

どんな学生でも、自分の思っていることをタブーなく私に話ができる関係性を保っていられるように、いつも心がけている。もちろん、例外もある。そうやって接していると、いろいろなことが見える。そこでは当然トラブルになるケースもある。それは教員が無条件に自分の味方になってくれると学生が期待するからだ。私はむしろ学生が自分に自信を持てるよう、学生自身の力を気づかせることを大切にしたい。

周囲から「あの子は弱い」と思われている学生でも、本当は力を持っていることも全く珍しくない。

私はいつも学生から学んでいるし、学生の力に感動している。

ある学生は、私に衝撃を与えた。半年かけてつくったマリのプログラムに参加した女子学生だ。

準備の過程で向かい合って話し、三つぐらい質問すると、いつも三つ目で泣き出すのが

演習の授業で学生たちと「庭づくり」。京都精華大学キャンパス　2014年

パターンだった。超人見知りで、パニックを起こしているようだが、私にはよくわからない。どうして泣いているのか、一切口を開かない。

「この子は、マリには行けないいんじゃないか」

心配になったけれど、書類の提出は誰よりも早い。思いきって連れていき、彼女は他の学生と同じように現地でホームステイをした。

プログラムが終わると、学生たちはそれぞれのホームステイ先の家族を集めてジャパニーズパーティーを開く。みんなが集まったパーティー会場をのぞくと、どういうことか、彼女は笑顔で踊っていた。とても明るく、まるでその家族の中心人物であるかのように。

「一体どうなってんの」

日本に戻り、面談したら、また泣く。

そして彼女はこう言った。

「日本では、誰も私に無理にしゃべらせようとしないから、どんどん内向的になる。けれど、マリの人は、私をほっといてくれなかった」

学生を取り巻く環境は大切なのだと、彼女を見て思った。

そして、学生の力を再び信じようと決めた。

学生の力を信じるということは、もしかしたら、本人にとっては重く感じることになるかもしれない。けれど、「できるよ、どこまでもそれを支えるよ」と伝え続け、学生がやろうとする方向に自分はどう協力できるのかを考えたいと思った。

私の姿勢を変えてくれるのも、やはり学生たちなのだ。

またある学生は、日本社会の難しさについて考えさせてくれた。

アメリカのフィールドワークに引率した時のこと。外国人のための出国カードを書こうとすると、一人の学生がついてくる。どうしたのかと声をかけると、パスポートを見せてくれた。そこには、いつも呼んでいる日本名とは違う、知らない民族名が記されていた。在日韓国人や朝鮮人は、民族の名前のままで勉強ができる。それなのに、彼女は日本名を使っていたのだ。

複雑だった。彼女はどうして、自分のアイデンティティを明かさず日本で生活しないといけないのか。

私は､彼女とは違う。私はマリアンジャパニーズでありたい。彼女が堂々とコリアンジャパニーズであると言えない、そんな社会のあり方の問題を思った。

学生とのやりとりの瞬間にわかる日本社会というものが、時々ある。そのつど新しい視点を得て、私自身も成長すると感じるのだ。

## 親しさと甘えは別のもの

どうやって学生と信頼関係をつくるか。

これは、自分の中の課題でもあり、大切にしていることでもある。信頼関係があれば、お互いに迷惑をかけ合うシステムができるし、許し合うシステムもできる。

基本的に他者から見ると私は、学生たちを雑に扱う。つまり、一～百％全て面倒を見ることはしない。その「雑さ」の中で信頼関係が生まれてくると思っている。そして、学生は私を頼るが、私も学生を頼る。相互に頼り合う関係だと思っている。

ずっと信頼関係が続いてる学生たちは、決して私を先生扱いはしない。サコ先生と呼ばない。「サコ」「サコさん」だ。今でも会ったらふざけている。けれど彼らの中に、私を尊敬する気持ちがあるのはわかる。それはあえて表現されることはない。学生との強い絆というのは、そういうものだ。


しかしながら、学生との距離の取り方は少々難しい面もある。

日本人の中には、物理的な距離が近ければ関係性も近いとか、深い友情だとか、恋愛だと思う人が少なくない。「毎日一緒に行動しているイコール精神的な距離が近い」、あるいは、「親友とは、よく一緒に遊んでいる人」というような感じだ。

私は、いつもオープンで明るくしゃべるし、親しくしゃべる。けれど、精神的な面では一定の距離感を保っている。それは、学生だけでなく、みんなに対してそうなのだ。

学生と京都フィールドワーク。老舗料理店「麩嘉」（ふうか）店主、小堀周一郎さんが案内　2018 年

独占欲のようなものをぶつけられることもある。ときに誤解されたり、親のように保護者であることを求められる場合もあり、しんどいときもたびたびある。私の目的はあくまでも「個」の自立、自律をサポートすることである。

日本人は多様化していると思うのだが、物理的な距離と精神的な距離の分離は難しいのかなと感じる局面が多くある。

もう一つ、理解できないことがある。

日本人は時々、何か問題が起こったときに「親しい人だから許そう」という感覚を持つことがあるようだ。

私の研究室に遊びに来ている一部の学生が、私の課題を期日までに出さなかったことがある。少々甘えがあったようだった。

遅れて課題を持ってきたが、私はもちろん、容赦なく単位を落とした。その学生は驚き、「サコさんと親しいのに」と大きなショックを受けていた。

意味がわからなかった。

本当に学生のためになることは何なのか、ということである。

私の対応について、「先生のフレキシビリティが精華流なのに」「学生を拾いあげてこそ精華でしょう」などと言う人もいたけれど、私はこう返した。

「それが精華流なのであれば、私はごめんだ」

学生たちからは、私の成績のつけ方は厳しすぎると言われることがある。けれど、厳しくするべきところはあるし、全て優しくすることが学生のためではない。

それは、とりわけ重要なことではないかと思っている。

第五章

# 一緒に、大学をつくりたい

## ―サコ、学長になる―

学長就任記者会見　2017 年9月

## みんなとやりたいから学長になった

「あなたが、学長に選ばれました」

二〇一七年六月。その日に行われた学長選挙の結果を知らせる電話が、研究室にいた私の元に入った。

獲得票数を聞き、選挙の厳しさというものを一瞬にして理解した。次点の候補者とわずかな差だったのだ。

「うーん、そうか。そういうことか」と、私は思った。

選挙の立候補者は三人。私以外の候補二人は、推薦者と戦略会議を重ねて結束を固めていたように見えた。

一方の私は、戦略会議を控えめにして、出たとこ勝負である。

そんな私のポテンシャルを信じる人もいる一方で、私のものごとの運び方を否定的に思う人も相当数いる。選挙結果にも、そのことが表れていた。

京都精華大学は学長や理事を選挙で選ぶという、きわめて民主的な制度を残している。

選挙の投票率は近年になく高く、それだけ教職員の関心が高かったことを示していた。争う形になってしまったけれど、「大学をよくしていきたい」という気持ちは、他の候補者も同じ。選挙の数日後、私と他の候補は、手を携えて一緒にやっていこうと確認した。

「誰かが上に立つのではなく、みんなで大学をつくりたい」

ずっと思い描いてきた大学運営の実現に向かって走り出せる日が、ようやく訪れた。その実感がわいてきたのは、数日が経ってからのことだった。


大学運営に関わるまでの物語は、振り返ってみるとなかなかドラマチックである。若手教員だったころから持ち続けていた思いが形になったわけだが、その道のりは決して順調ではなく、紆余曲折があった。

「精華をなんとかしなくてはいけない」

私を含む若手教員の間にそんなムードが漂ってきたのは、二〇〇一年に入職して四年ほどが過ぎたころだった。

当時の人文学部は、総合的知と専門性を教育の軸としていて本当にリベラルで、多方面の教員がバラバラの教育をしていた。多様性はあるけれど、学部としての教育理念がない。

募集力も低下していた。

「精華のあるべき姿はどういうものか」

若手教員たちと飲み会を重ね、知識を共有する日々。少しずつ議論に加わる人数が増え、枠にとらわれない若手グループ「サーティーズの会」へと発展していった。

私たちはお互いに、「教員としても研究者としてもどう成長するか」というところで支え合い、学科を超え、深い信頼関係を築いていったと思う。

新しい人文学部について具体的なアイデアを出し合い、「現場の教員たちの知恵で大学をつくりなおす」というダイナミズムが生まれていた。

せっかく誕生しかけていた新しい潮流は、あることをきっかけに消失した。

二〇〇八年。私はサバティカル休暇を使ってボストンで研究することにしたのだが、渡米前に人文学部再編会議があり、私は教務主任として出席していた。だが、日本を離れている半年の間に、人文学部が再編されたのだ。

だが、リニューアルした人文学部は新しい風を吹かせられず、募集力は再び低下した。見かねた私たちはもう一度、「人文を救おう」と声をかけ合った。

「ポストを持っていない立場でできることは何か」

知恵を出し合い、タスクフォース（特別チーム）を立ち上げ、新しい人文のあり方を提案する。タスクフォースの表向きのなリーダーは私だった。

会議スタイルは画期的だった。理事会に反対するのではなく、対話の姿勢を持つのだ。そのやり方は、大学にインパクトを与えたと思われる。必要なときに理事会に申し出て「私たちが今提案しようとしている方向は、正しいですか、間違っていますか。理事会はどう思いますか」と問う。一回の会議は三時間。重ねた会議は三十回以上。タスクフォースによる再編はかなわなかったが、このプロセスは必ず大学改革の基礎になると、私は確信していた。

「理事長や理事が変えてくれると期待するのではなく、学部自身が変わろうとする姿勢を持ち続けよう」

どんどん存在感が薄れていく人文学部を変えるために、私たちの気持ちは一つだった。

そして二〇一二年十二月、私が人文学部長に選出され、ようやく念願だった学部の再編を手がけることが始まった。

教員自ら新しい姿をデザインし、実現させる。このプロセスを大学全体に広げたいという思いが、日に日に強くなっていた。

それには、自分が学長になるしか道はなかった。

## 「私たちの職場」という自覚

京都精華大学は、「私の職場」ではなく、「私たちの職場」である。

学長は、教職員の上に立つ人間ではなく、コーディネーターであり、プロデューサーだと思っている。

一方的に自分のやり方を押しつけるわけではなく、必要なのは、みんなの話を聞く力であり、みんながやれる状況をつくる力なのだ。

みんながやりたいことをどう認識し、優先順位をつけるか。そして、みんなに教えてもらいながら、どう寄り添えるかが、とても重要な要素なのだ。

学長に就任して苦労したのは、私の思いが教職員全員に伝わるわけではなく、全員が私の考え方に「いいね」とはならないことだった。それは当然で、いろいろな考え方、いろいろな価値観があっていい。逆にそれをぶつけ合うことが大事だと考えている。

学長就任祝賀会。京都大学山極壽一総長が祝辞。京都国際会館　2018 年 4 月

それなのに、「ぶつかり合い」という文化が、日本にはない。昔の京都精華大学にはあったが、近年は大学も変わり始めた。最も難しいのは、そこである。

もう一つの難しさは、「権力」に弱い人が多いこと。これには、相当ショックを受けた。

自分は「超庶民派」の学長だと思っているのに、「あなたは権力を持っている」などと言われてしまう。

みんなで決めようと思っていると、「え、学長が決めるんちゃうの」という姿勢で来られる。なんと寂しいことか。

けれども私は、いつも前を向き、「みんなでやりたい」という姿勢を決して崩さずに来た。その中で、少しずつではあるが、教職員の私に対する理解、一緒に仕事をする方法が変わってきたと感じている。

教職員に対する私のスタンスは、学生に対するものと同じ。学長が全て知っているのではなく、みんなが参画できるやり方を提案するのだ。

そうすると意見も出るし、プロポーザルもある。みんなを巻き込み、「みんなでやろうよ」と呼びかける。巻き込むための作戦の一つは、これだ。

「サコみたいなのが学長になったら、やらんとしゃーないやろ」

「私たちが支えなきゃ」

「あのサコにできるなら、私にもできる」

「ヤツはできひん」

そういう空気を醸し出す。

私は、みんなの上に立ちたくて学長になったわけではない。

みんなと一緒にやりたいから、学長になったのだ。

## 精華の理念を取り戻す

私が学長に就任したのは、京都精華大学が創立から五十周年を迎えた年。開学した一九六八年に初代学長の岡本清一が提示した覚書を読み返し、私はその内容にビックリした。

五十年前にもかかわらず、今の時代に通じる内容だったのだから。

「『人間尊重』『自由自治』を基盤とし、新しい人類の展開に対して責任を負い、世界に尽力する人材の育成を使命とする京都精華大学では、学生、教員、職員がすべて人格的に平等であり、全員が大学の創造に参加する」

創立当時は、世界各地で古い知性が否定され、学生たちのプロテストによって世界中の大学が揺れ動いていた。その中で掲げられた京都精華大学の理念は、実に画期的だった。

京都精華大学が目指そうとしていたものは何なのか。それが今、どこまでできていて、どこができていないのか。それらを、きちんと問い直したいと、私は強く思った。

覚書にはこんな一節もある。

「人間を尊重し、人間を大切にすることを、その教育の基本理念とする。この理念は日本国憲法および教育基本法を貫き、世界人権宣言の背骨をなすものである」

京都精華大学は、あの時代から、世界人権宣言を尊重すると誓っていた。


学長になって何をするのか――。

新しいことは、もちろんできる。だがその前にまず、今できていないものを認識することから始めたいと私は思った。

京都精華大学の理念は変わらないはずだが、教育の中身が少しずつ変わってきてしまっていないだろうか。

そうであるとするならば、大学をつくった時の理念を見つめ直すことから、私の仕事は始まる。原点に立ち戻って立て直す必要があると、心を新たにしたのだった。

## 「自由」を問い直す

「自由」とは何か。

これは、私が最も大事だと考えている問いの一つである。

学長になって、新しく「自由論」という科目が共通教育としてつくられ、私が担当している。「自由とは」という問いに対して、学生たちが考える時間だ。

この授業を担当した背景には、京都精華大学が語ってきた「自由自治」を理解し、自由を捉え直す機会の一つにしたいという思いがあった。

京都精華大学全体が、徐々に徐々に「自由＝無責任」にシフトしていないか。「ここでは好きなことができるんだ」「好き勝手にしていい」「何でもええやん」と。

それが、精華の自由なのか？ そこが誤解されたままで、精華のよさを維持することはできないのではないかと、私は思っていた。

大学ができた一九六〇年代は、「集団的自由」が追求された時代だった。

集団的自由とは何かというと、「学生」の自由であり、「黒人」の自由や「マイノリティ」の自由。いわゆる「マス」の自由である。

誰かが誰かの自由を奪っている、という現状に対して、自分自身は考えなくても、「みんなで自由を求めるぞ」と団結していればよかった。

つまり、集団がパッケージで自由を獲得し、その集団の中に入りさえすれば、自分は考えなくても戦えるし、「何かやっている」という気になれた。

今はグローバル化の波の中で、集団よりも個が中心になっていく時代へと変化している。個人が主体になってきた中で、自由や解放というものが、全て自分自身に依存する社会になっている。強者や支配者がいて、支配者に対して運動を起こせば自由になった時代と、今は違うはず。自分を自由にするのも、不自由にするのも、全て自分。自由の位置づけは、変わってきている。

「自由論」の授業では、自由のために戦ってきた人たちもいれば、自由を求めて運動してきた人たちもいるという歴史的事実を共有する。その後ワークショップをして、みんなで考える。

「自由」に、私は答えを持っていない。

それにしても、学生たちの考える自由の条件はというと、ちょっと変わっている。自由を実現するために必要なことを問うと、こんな答えが返ってくる。

「スクールバスの本数を増やしてほしい」

「休憩を増やしてほしい」

「授業を減らしてほしい」

何もかもが、「ほしい」なのである。

どうやら、「他者が、誰かが自分に自由を与えてくれる」と、学生たちは誤解しているようだ。大学という場は、どうすれば自由を手に入れられるかということを、自分の価値観で判断して行動する場であるはずなのに。

個人が中心になる時代には、個人が尊重されると同時に、自由だって個人で獲得しなければならない。それは、集団の戦いよりもある意味で難しく、誰かが与えてくれるものではないはずなのに、なぜか期待して待っている。

「誰か私を自由にして」って、なんでやねん！

自由が必要であれば、自分で獲得するしかなく、自分自身の意識で自由にするしかない。

日本に来た当初の私は、この国で外国人として暮らすのはとても不自由だと感じていた。自分を自由にするにはどうすればいいか、自分で考えた。そして、外国人を支援する組織を立ち上げ、「ワールドフェスティバル」を開催して外国人とつながった。

自ら、不自由を自由に変える努力をした。

自由というのは、もらうものではなく、誰かが与えるものでもなく、自分で手に入れるものである。さらにそれに伴う責任を負う。自由には自治が伴うということである。それが、精華が掲げる「自由自治」である。

## 真のグローバル教育とは何か

二〇五〇年、日本の人口は九千五百万人になり、そのうちの四十パーセント近くが六十五歳以上の高齢者になる（総務省の推計）。

一方、世界では、百億人の四分の一にあたる二十五億〜二十七億人がアフリカに居住し、都市人口の五十パーセントぐらいがアジアの都市で暮らしていると予測されている。

この現状を思い、これからの時代を見たときに、必要になってくるグローバル教育とは何か。それは、英語教育などではなく、各国や地域の文化を認識し、お互いの知恵をシェアするための教育だろう。

そしておそらく、アフリカやアジアの地域との関わりを考えずにはいられない。

京都精華大学には、二〇二一年に二つの学部と一つのプログラムが新しく誕生する。国際文化学部と、メディア表現学部、そして、学部横断型学位プログラムである人間環境デザインプログラムだ。また、学部改組、新規開設に加えて、教育構造、共通教育の枠組みと位置づけを見直している。

京都精華大学は、世界に開かれた大学であると同時に、ここで学ぶ人たちは、社会変革を起こすようなイノベーターになる人たちであろうと信じている。イノベーターを育てるには、一つ、二つの学部だけでなく、大学教育全体を考えることが重要だと思っている。どの学部の学生であろうが、最低限学ばなければならないものがある。

私は大学改革ではまず、共通教育改革を行うことにした。人間形成の第一歩として、言葉であるとか、思考や価値観であるとか、社会との関わり、世界との関わりを重要視してきた。

ここで、国際文化学部と精華の掲げるグローバル教育について、説明しよう。

グローバルとローカルの視点から、多様な人々が暮らす社会のよりよい姿を追究する、というのが、国際文化学部の軸である。そして、ここで設けているグローバルスタディーズ学科は、「グローバル化」について多様な側面から考察し、これからの世界を見通す力を養う学科だ。

グローバル化という言葉はよく使われるが、価値観はさまざまで、誤解も生みやすい。その一つのキーワードとなる「共生社会」には、どんなイメージがあるだろう。

私は、自国や地域の文化は持ったまま、他国や他地域とどう共生していくか——ということだと思っている。けれど現状では、「共通化」ばかりに焦点が当たってしまっている。

私たちは、グローバル化はしたけれど、共生社会は実現できていない。二〇二〇年に起こったアメリカの黒人男性死亡事件を見ていても、そのことがよくわかる。学生が、世界の抱える一つ一つの問題に対して本格的に関わることは、非常に重要だと考えている。

また今の時代はメディアのあり方が問われており、メディアリテラシーを育てていくことが重視される。技術革新のスピードが非常に速く、世界が近くなり、誰かがどこかで殺害されたというニュースも、すぐに世界中に広まる。これからの時代は、メディアを社会変革の過程でどう利用するかということも考えなければならない。

それらの思いから、私たち京都精華大学は、二つの学部をつくる決心をした。

学部横断型学位プログラムである「人間環境デザインプログラム」では、一つの学部に軸を置きながら、学部を超えて学んでもらう。従来の建築や空間ではなく、人間を中心とした街や都市、環境づくりを考えていく。

京都精華大学では、真の意味での「共生」に、価値を置きたいと思っている。

では、真の共生とは何か。

それは決して、みんなが同化するということではない。みんながマクドナルド化されるということでもない。それぞれが自分の価値観を持ったまま、お互いに協調していける道を探っていくことだと、私は思う。

精華でグローバル化を掲げ、まずアフリカとアジアにターゲットを絞った理由は、そこにある。精華のグローバル教育では、他国を知るだけでなく、日本を再認識することもできる。日本のナショナリズムの何が問題かというところを見つつ、アフリカやアジアの人たちと一緒に、これから自分たちがこの世界で大切にしていきたいことをシェアする。そんな機会になるはずだと確信している。

この理念は、国際文化学部に限らず、精華の大学教育の根底を流れるものになっていく。私たちの改革は始まったばかりで、まだまだ続く。日本の大学でありながら世界とつながっている大学を目指す。世界中の人たちが自由に勉強しに来られる場であり、一度社会に出た人たちも再び学べる「リカレント教育」ができる場でもありたいと考えている。大学として社会に果たせる役割は、まだまだある。その第一歩に、私は今関わろうとしている。


インドのスラム街に足を踏み入れたとき、どんな感想を持つだろう。「かわいそうだね」と思うだろうか。

実は、スラム街の家の組み合わせや配置はとてもレベルが高い。レベルが高すぎて、建築の知識で教えることができない。

どういうことかと言うと、スラム街の家の構造は、近代建築の価値観や手法ではなく、とてもシンプルで複雑さがない。近代建築のように専門的な知識が必要ではない。あんなに狭いところに小さいシンプルな建物をたくさんつくり、そこで生活ができているというのは、私たちが学び刷り込まれてきた建築の概念を超えた「知恵」なのだ。

彼らが持っているのは、「空間を利用していく知恵」であり、「空間を使いこなす知恵」。それは、ただ西洋の近代建築を学んでいるだけでは、決して見えないもの。つまり、むしろスラム街から私たちが何を学べるかということを、考えなくてはいけない。近代建築が見落としている部分が、そこにある。

私は、学生たちにこう言った。

「インドのスラムを勉強すれば、京都の町家の再生で、もっと効率よく家をつくる知恵になるんとちゃうか」

ここでの視点の持ち方は、「スラム、かわいそうだね」ではなく、「よくこんなところに人間が寝てるな、よく食べる場所をつくれているな。一体どうやって？」ということではないか。それこそが、グローバル教育である。違った視点を持つことで得られる知見があるのだ。

スラムのコミュニティを調査した人文学部の学生たちは、「世界を変える空間デザイン」と題して、京都の三条地区に「スラム型集合住宅」をつくるモデルプランを提案した。空間を活用し、人とのつながりや関わりを重視した、非常にユニークで素晴らしい提案だった。

何かがすごく違う。この部分をどう見るのか。ここに大きなポイントがある。西洋だったらありえないことが、ありえている。そこには必ず、何か知恵や工夫がある。

西洋の教育では一つの側面を教えてくれる。だが、アフリカやアジアの暮らしをずっと観察していくと、そこには、西洋が教えてくれない知恵が含まれている。それを観察せず、全て否定して「ダメだ」「知識がない」というのは浅はかだと私は思う。

それは、私自身がマリの空間を研究した時にも実感している。

マリの中庭や日本の畳の間は多機能で、同じ空間で複数のことができる。私たちの行為によって、空間に意味がつけられていく。そのことに気がつき、「形は機能に従ってつくられる」という近代建築のシンプルな理論を覆された時のインパクトは大きかった。

それらは、西洋にはない価値観だった。

日本はグローバル化の波に乗ろうとしているが、では外国人留学生や外国人労働者に対して、どのような感情を持っているだろう、ということも、私は非常に気になっている。

「我々は労働力を呼んだが、やってきたのは人間だった」

これは、欧州の移民問題を指してスイス人作家のマックス・フリッシュが述べた言葉だが、外国人労働者の受け入れ問題に際し、再び注目を集めている。

外国人労働者には、働くための最低限の日本語と日本文化を簡単に教えればいい、という見方がある。けれど、労働力だけがやってくることなどありえない。

労働力を持っている人間は、文化を持っている。宗教を持っている。価値観を持っている。心を持っている。それを全て人格的に無視し、労働力だけが来て、その人が日本社会に入るために日本語と日本文化を知ればいいじゃん、という発想は危険だ。超やばい。

いかに日本社会が、その人たちを日本社会の一員として受け入れるかという準備がないか、よくわかる。

社会に準備がないのに、「日本語教育を徹底するよ」「日本文化も知るから大丈夫」と言って国民を安心させている。

でも、違うでしょ？　と、私は言いたい。

外国人が入ることによって、日本社会は影響を受ける。食事の時間の匂いも変わる、音も変わる、風景も変わる、いろいろな五感も変わっていく。社会の文化は変わっていき、それも日本の文化となる。

文化というものは、伝統がフリーズしたままで固まっているわけではない。いろいろな要素が入り、時代とともに変化していくものだ。

私たちが大学で受け入れる多くの留学生は、日本で就職する。彼らは彼ら自身で、この社会を変える力をつけなければならない。

学生たちに私は、こう伝えている。

「日本社会が自分たちを幸せにしてくれるわけではない。そのことだけを理解してください。この社会をちゃんといいものにしていけるかどうかは、あなた次第です。あなたの力、あなたの価値観、あなたの知恵が、この日本社会にとって大事なのです」

第六章

# ここがヘンだよ、日本の学び

―サコ、教育を斬る―

京都精華大学創立50周年記念式典で講演　2018年10月

# 学校に期待しすぎる日本人

日本で長年生活しているが、どうしても理解できないこと、ヘンだなと思うことがいくつかある。厳しい言い方になるかもしれないけれど、感じた通りに伝えてみたい。

まず、学校というものに対する日本の人々の過剰な期待感に、私はビックリしている。なんだかわからないけれど、とにかく日本人は学校が大好きなのだなと思っている。

本来は、家や地域でやるべき教育があり、役割分担がある。けれど、その多くが学校に任されていて、そのことによって学校が不自由になっているようにも見える。

日本の子どもたちを取り巻く環境で最も懸念するのは、日々の生活にまつわるあらゆる要素が学校に集結し、人生そのものが学校中心になっている現状だ。部活も友達も、全てが学校にあるため、学校以外のものが考えられないような時間のつくりになっているように見える。

運動部などの部活のある子は朝一番に学校行き、夜遅くに帰ってきて寝る。家でゆっくり趣味の本を読むとか、何かふざけた映画でも見ようかという暇すらないようだ。

部活をやっていた息子たちも例外なく朝から晩まで学校にいて、好き勝手にだらだらする時間がない。よくそんな生活に耐えられるなと、親として違和感を抱いていた。

しかし日本の親は、そんな状況に安心していると聞き、さらにビックリする。

「部活に入っているから、余計な趣味に気が散らなくて安心」などと言うのだから、わけがわからない。

それって、逆じゃないの？

日本の小中学校の教育はフレーム化されていると思うのだが、国家が国民をコントロールするためには、それなりの教育をつくっていかなければならないし、国民国家を築いている限り、教育を基本にして国民のあり方をつくろうとするのは自然なことだ。

重要なのは、国民一人ひとりが、「そこから自分をどう解放していくか」を考え、自分という個（人）を、このフレームの外でつくること。つまり、学校とは別に、個人が「生きる力」をつける機会を持っていることが、人が育つ上で最も大切なことだと、私は考えている。

義務化されていない時間をいかに有効に使い、その人が人格形成していくか。それが、子どもの教育にとって必要不可欠であるはずなのに、日本の大人たちはそこから手を引いているように見える。

「学校は一律的だ」「子どもの個性を伸ばしてほしい」と考える親も少なくないらしいが、学校というのは、基本的にはみんなが同じフレームで学ぶ場所。一人ひとりが持っている個性を尊重することは大切だけれど、そこで個性はそれほど育たないし、育てることを学校に求めなくてもいいのではないか。

フレーム化教育は、一つの方向性を示してくれるということであり、それ自体は否定すべきものではないと、私は思っている。

先生がみんなに同じ内容の授業を与えている場合、その中身は単なる「情報」である。その「情報」を自分のものにするには、自分の力が必要になる。そして、学校以外の、誰にも制約されない時間やだらだらした時間を使って考え、遊びや家庭での経験とシンクロさせて自分の中に落とし込んでいく、というプロセスも必要だ。個性は、そうやって伸ばしていくものであり、余暇の時間をしっかり使うことによってしか、自分自身は成長しないのではないか。

余暇の使い方を学ぶことこそが、人間をつくり、個性をつくる。それが私の持論である。

幼少期、やんちゃだった私は、学校の勉強はとりあえずこなしつつ、それ以上に、自分の自由な時間をどうつくれるかということを考えていた。学校以外の友達と遊んだり、ケンカしたりしながら、生き方の大事な部分を学んできた。けれど日本では、友達関係さえも学校によってフレーミングされがちだ。

日本の大人たちは、子どもたちがどうすればフレームの外の時間や外の人間関係を確保できるかを議論すべきなのに、フレームを巨大化させることばかり考えてはいないだろうか。そうなると、子どもは四六時中囲い込まれ、教員は疲弊し、学校の負担も増えてしまう。

方向が逆だと、私は思うのだ。


日本の教育課程、いわゆる学習指導要領がつくられ、各学校がそのカリキュラムに従って国が描く日本人像を定めること自体は、評価できる部分もある。子どもたちが、それを守りつつ、社会や家族などの影響を受けて成長することができないということに、日本の教育の大きな問題があるのではないだろうか。

学校教育と、思考法や知恵を学ぶ「生きるための教育」は、両方が必要だ。そこのすみ分けができていて、子どもたちはそれぞれ別々の場で、両方を身につけて人格を形成していければいいのだが、現状ではそうなっていないように見える。

これまで長年枠にはめてきた日本の学校教育は、本質的には変わらない。そうなると、「学校教育はある意味で日本人養成課程なのだ」ということを認識できている自分がいるかどうかが、重要になる。認識した上で、自分で判断し、「自分のためになるからこの教育を受けておこう」と選択できればいい。そこは、「選択の結果」でなければならない。

マリの家族と　2018年

選択の結果にならないまま、「生きていく道はそれしかない」と思い込んで必死になったり、その教育を受けること自体が強制されていったりする現状があるならば、それは問題だと考えている。

人間は、家庭や友達や自然や、いろいろなものから人格をつくっていく。人間形成をする場は学校だけではないし、学校は、ある意味研修所のようなものだとも言える。

まずは、「学校のみが学びの場」という思い込みをなくしてみてはどうだろうか。

## 平等を履き違える日本人

六年間中学生にサッカーを教えていて、不思議だったことがある。

私は、練習には基礎よりもミニゲームを多く取り入れるのが好きだ。ミニゲームをやると、それぞれの子どもの面白さが出てくる。

だが、そのやり方を気に入らない親御さんがいる。練習の日に見学に来て、終わると不満そうに私にこう言ってくる。

「基礎をやってくれ」

「うちの子は、まだヘディングはあまりできていない」

ヘディングができないスター選手はいっぱいいる。それができるだけでもいーじゃん！

違いがあっていいし、それぞれの違いを組み合わせたところでいいチームができると思っているのだが、そういうやり方は、みなさんお好みではないようだ。


日本の社会は、どうやら普遍的なものや価値、行動を求めがちであるということはわかってきたが、人間さえも普遍的につくりたいと思っているのだろうか。「普遍的な人間にならないとダメだ」という風潮が、小中学校や高校、そして家庭にもあるように見える。

そして、普遍的な人間を育てようとする姿勢が、世間体を気にするがゆえであり、内心はそれがいいと思っていないようにも見えるのだ。

もちろん、日本社会がつくり出しているものではあるけれど、子どもに最も近いはずの親が「普遍的になれ」というプレッシャーを子どもにかけるのだとすれば、親も「普遍的な人間をよしとする社会づくり」の一端を担っていると言えないか。

子どもが、「もっと自分の個性を伸ばす方向でいきたい」と言ったとしても、親が、「いや、そうじゃない」と、その子を見ないで周りばかりを見ているとすれば、子どもの個性は生かされない。

「あの子はこうだ」
「あの家はこうだ」
「みんながやってるからやりなさい」
「みんな、そうなんだ」

いかに自分の子を他の子と差がないようにするか。そして、個性よりも、いかに自分の子が上位にいるか、ということを大事に考えてしまうような傾向はないだろうか。

わが子を偏差値の高い大学や医学部に進学させたお母さんが、私に耳打ちで報告してきたときは驚いた。

「うちの子、医学部なんです」

なんで小声やねん！　という話である。

何かそれが特別なことであるかのような態度で、理解に苦しんだ。

医学部に行きたかった子が医学部に行くのなら、別に「よかったね」と思うし、やりたい子がやりたい道に進んだ、というだけのことであるはずなのに。

日本の教育はダブルスタンダードではないか、ということも、私は問いかけたい。表面的には「平等だ」と言っているけれど、平等の意味を履き違え、実際のところは、一部の子たちが拾われていないように見える。

どんな子かと言えば、自分なりの価値観を持っていたり、自分なりのやり方を持っていたり、形式を重んじたくない子だ。その子たちは、能力がないわけでも、賢さがないわけでもないのに「ダメな子」とされ、拾われない。みんな違って当たり前なのに、実のところは違いが認められていないのではないか。

地域の小中学校だけではない。受験して偏差値の高い中学や高校に入ったとしても、今度はその学校が育てたいと思っている生徒像や、学校の文化に合っていない子は、認められないことがある。そうなってくると、「子どものための学校」ではなく、「学校のための子ども」である。

では、拾われなかった子はどう扱われるのかというと、そこにはきちんとしたしくみがなく、認められる文化もない。このため、拾われない子たちは「自分は社会的には役に立たない人間だ」と思い、自分の殻に閉じこもる。

平等とは、「普遍的な人間をつくること」ではない。それよりも平等な機会をどう与えるかが大事なのに、その機会がない子がいるというのは平等ではないと、私は思う。

さらに日本の教育は、「目標教育」ではない点で、全く先進的でないと感じている。目標教育というのは、「あなたは何になりたいか」あるいは「何をやりたいか」ということに合わせて、その子の将来にとって本当にどういう教育が要るのかを考える。これだけの先進国であれば、本来はそれがあっていいはずなのだ。

学校を選ぶ基準は、「この子に合う勉強は」「この子にとっていい高校は」というものであるはずなのに、いかに偏差値の高い学校に行くか、ということによってその子の評価が決まっていく傾向が見える。

本人が超勉強したくて偏差値の高いところに行きたいなら、親は一緒に探してあげればいい。本人が本当に勉強したい場合にだけ、サポートすればいいのである。

「この子は、思いを持っているから芸術大学や芸術高校に行く」

「いい先生がいて、この学校でやりたいことがあるから行く」

「この子がわくわくするから行く」

これらの動機が認められないというのでは、全く本人のためになっていない。

近代教育はある意味、生産できる人間とその予備軍をつくるためのものと言える。それゆえ、生産のプロセスに乗らなければ、「いらない」「使えない」人間になってしまう。日本は、「使える人間」をつくるための教育制度が中心になっているようだが、それは、「本人が満足できる人生を送る」という教育とは全く異なるものである。

日本はもはや、「社会で使えるかどうか」という基準を保つことに、親も含めて全員が全力で協力してしまっているのではないか。

そして、それが普通になりすぎて、誰も立ち止まって考えようとしない。そのせいで、せっかく立ち止まった子どもが苦しんでしまうという状況が生まれているように、私には見える。

気づいた人たち、何かを変えようとする人たちは、今の日本社会にとっては「異分子」になってしまっている。だから、スムーズに流れている現状のシステムに問題が生じたときには、その「異分子」が他に影響を与えないように、排除の論理が働いてしまうのではないか。

私たちは演者の一人であり、普通に生きていればシステムの維持に協力してしまう。けれど、普通に生きようとせず、自分流に生きようとすれば、本当は疑問を感じるはずなのである。

違うでしょ、と。

## 能力を生かせない日本人

ある学生がいた。文章を書くのが得意で、あっという間に一万字を書き上げ、四万字や五万字もスラスラとまとめる。内容もすごい。超頭のきれる子だ。

あちこちにその学生を自慢して回っていたある日のこと。本人が申し訳なさそうに言った。

「私、先生が思ってるような子じゃないですよ」

「どういうこと？」

「実は私、ずっと不登校だったんですよ」

「え」

中学時代から学校に行けず、通信制の高校を経由してきた学生だった。あまりにも「正統派」で、あまりにもちゃんとしていて優秀で、わからなかった。その子は言った。

「どうして自分がこういうふうに開放的になって、文章もスラスラ書ける能力がついたのかっていうと、サコ先生がやりたいことを許してくれたからです」

生徒や学生が才能を伸ばせるかどうかは、ある意味で教える側にかかっていることを、私は知った。

学生は、自分自身を生かしてくれる先生と出会うと、実はすごい力を発揮できるのだと、彼女は教えてくれた。


社会に関心があって意識が高く、能力もある。そういう学生が全体の一割ほどいて、他の学生たちを引っ張っている。その多くは、実は小中学校や高校で不登校を経験したり、何らかのつまずきを経験したりしている。

彼らのケースというのは、大学では、それまでの学校の成績や出席日数などは関係なく、本当に自分自身の意識を高く持っていればかなり有利である、という事実を示しているのではないか。

大学に進学する学生の大半は、おそらく、小中学校や高校のフレーム化教育に何の疑問も持たずに過ごしてきている。ものごとの本質を見ようとせず、意識も高くないケースが少なくないだろう。いかにそこを崩して脱出させるか――というところに、私はかなり苦労している。

日本では今、小中学生だけでも不登校が十六万人にのぼり、問題視されている。だが、大学での学生たちの傾向を見ていると、不登校の背景にあるのは、教育システムそのものではないのかと思えるのである。

日本という国は、「国家における日本人像」を学校によってつくろうとしている、という前提で考えれば、つまりその教育は、ある意味ではファブリケート（偽造）だ。だから国民は、学校教育を受けつつも、本当はそこから自分の力で自立しなくてはならないのに、国民自身もそこに全面的に期待を寄せてしまっている。「好きにやって」って言われると逆に困る人が多く、つまりはみんな縛られたいのだなと、私は思っている。

国家にとって、それはとても便利だ。地域も家族のみんなも、「自分自身や子どもたちを解放していく」ということをしないで学校に全部押し付け、自動的に縛られていくようなしくみになっているのだから。

今の学校のシステムになじまない子というのは、言ってみれば、縛られることを否定し、「これ、なんか違う」ということに気づいた子たちでもある。

彼らは、今の社会全体が承認した「日本人形成像」から、どこか一歩引いている。けれど、今の日本では、友達付き合いまでもフレーム化されているために、フレームから少しでもはみ出るといじめられ、排除されてしまうということが起こってしまう。

フレーム化教育になじもうとするならば、「いい演者」になればいい。学校では学校向けの自分を演じ、学校が終われば好きに遊べばいいと思える子は、両立できる。趣味も充実していける。

けれど真面目な子たちは、いい演者にはなりきれない。フレームに飲み込まれて「学校すげー」と思うか、あるいは「ちょっと違うやん」と思うか、どちらかになってしまうだろう。

「違う」と感じることは人間として当然のことなのに、彼らが大きな声を上げる手段も場所も、今の日本には十分用意されていない。その子たちに「ボイス（声）」を与えなければいけないし、その子たちの声を吸い上げる場が必要であるのに、そんな機会がなかなか見つからない。

するとどうなるか。

その子たちは自分の中に閉じこもるしかなくなってしまう。

せっかく批判的な精神を持っていても、それを表現できなければ、引きこもりにつながってしまうこともあるだろう。

学校になじめなかった子たちは、自分の考え方をしっかりと持ち、議論をすると驚くほど優秀な子もいるのだ。その子が精神的に弱いのではなく、むしろ「納得していないのにやらなければならない」というところに不自由がある。

不登校が増えているということは、「不登校が悪い」という話ではなく、今の教育がもはや機能していないのではないか、という話である。日本は、自分たちでやっている教育にすぐ疑問符を打つべきなのだ。

## すぐにあきらめる日本人

日本人は「あきらめる」ことが得意なのかなと思うことがある。

頭を出すと打たれ、静かに従うしかなく、「なんかおかしい」「違う」と思っても声を上げにくく、あきらめざるをえないような、そんな社会に見える。

周りがあきらめている中で、「違う」と思った人が一人でそこに立ち向かうための支えがあるかというと、どうやらそれもない。

本当は、社会そのものがおかしいはずだけれど、「あきらめる」ところに親も学校も、みんなが集中しているために、おかしいことがおかしくなくなっているのではないだろうか。

そこを変えていかなければならないと、私は考えている。

原因の一つは、メディアも含め、ものごとを表面的にしか捉えない社会をつくってしまっていることだと思っている。

まず、報道やニュース番組が非常に中途半端に思えてならない。もう少し掘り下げられると思うディベートも、とにかく浅い。もっと議論する余地があると思う話題なのに、「こんなニュースがあるよね」で終わってしまうのが残念だ。

他国のニュース番組もよく見るけれど、比較してみるとわかる。他国のニュースはうるさいほど一つのニュースを掘り下げ、多角的に分析するのに、どうして日本は徹底的に

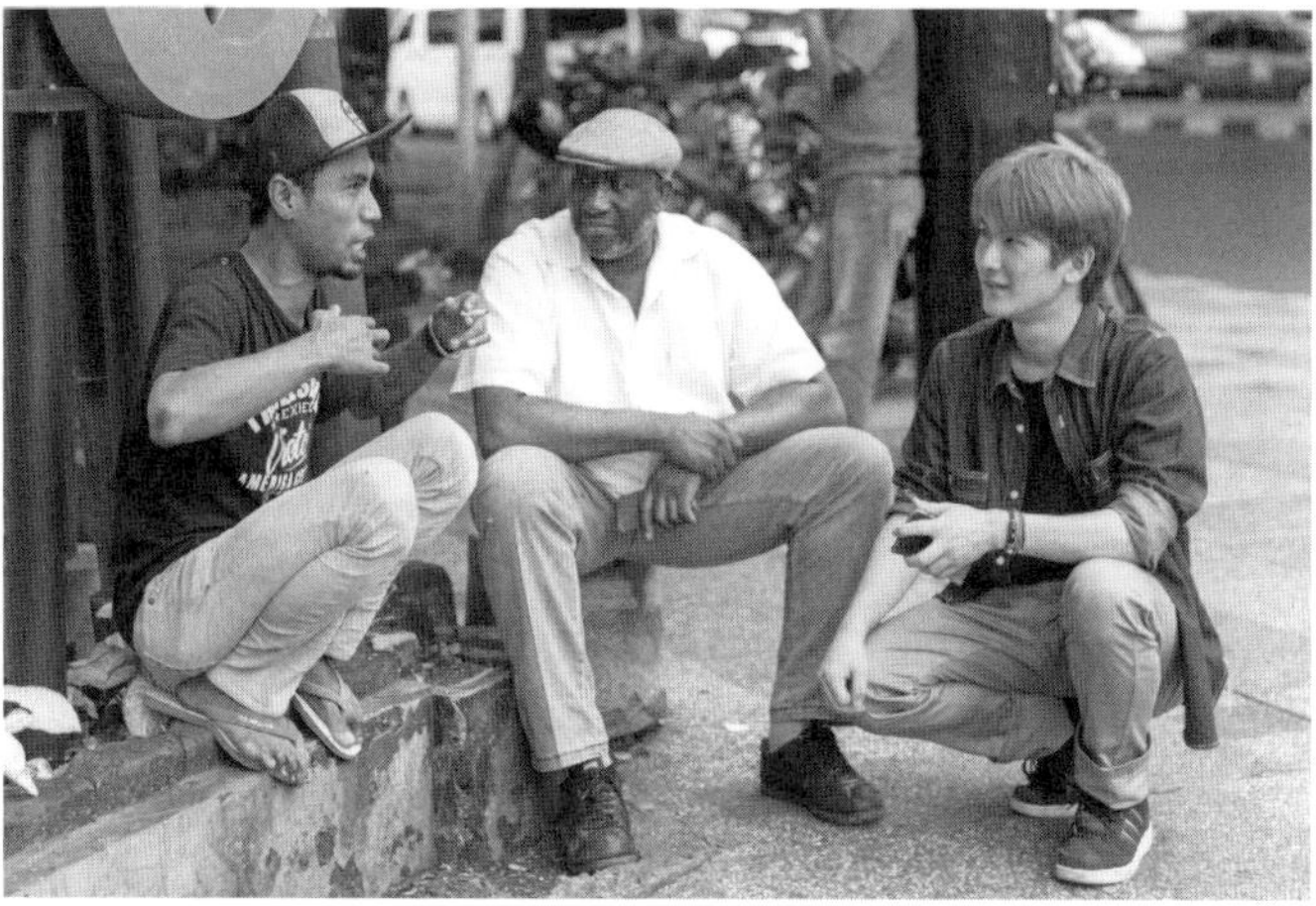

国外フィールドワーク。インドネシア、バンドンで学生を指導　2017年4月
撮影：吉田亮人（写真家）

ニュースを掘り下げる番組をつくらないのか、物足りない。

多少掘り下げようと試みている新聞も、購読紙が固定化しているので論調が交わらず、読者によって見える世界が分かれてしまう。そこを交えて批評的に取り上げる雑誌があっても、どれくらいの人が読んでいるのか疑問だ。

そういうものを、本来は教育の現場が積極的に拾うべきなのだが、面倒くさいのか、それもされていない。

時代の最先端を行っているのは誰かというと、子どもや若者たちである。教育システムに乗らない子であっても最先端で、大人よりも先を行っている。それなのに大人は、「経験をたくさんしている」という理由で、自分が正しいと思い込み、子どもに押しつけていないだろうか。「大人は子どもや若者に教えるもの」という価値観を植えつけていないだろうか。

私たち大人は何よりも、「自分たちは最適な解を持っていない」ということを自覚しなければならない。自分たちの育ちがベストだと思い込むと間違ってしまう。

彼らが今の大人と同じような道を歩めば、社会はどうなるだろう。少なくとも、今よりも悪くなっていくことは明らかだと私は思う。大人たちがたくさん失敗をしたために、こんな世の中になっている。私たちは、人間の尊厳的なところを尊重しない社会をつくってしまっているのだ。

それなのに、同じようなことをやれと言えば、彼らは反抗し、疑問を持つのは当然のことではないか。

最先端の視点をどう見るのか――。

それが今、大人たちに問われている。

若者たちはすでに大人に対して信頼をなくし、なかなか心を開かない。このために、大人は若者の視点を取り入れにくくなっている。必要なのは、大人から歩み寄る姿勢であり、

「大人が、子どもや若者から教わる」という文化ではないのか。

若者たちを待ち受ける社会は幸せなものではない。彼らは、この社会を自分たちの力で変えていかなければならない。けれど一番の問題は、彼らが日本にとっての希望であるにもかかわらず、教育の過程で幸せを手に入れる方法を与えられていないことだ。

日本の社会や親たちは、どうやってこの状況を逆転するかを考え続けなければならない。

しかしながら、「集団的○○」という文化がなくなりつつあるはずの「個」の時代に、いまだに集団的パッケージ教育をやろうとしている、あるいは「日本人」づくりをやろうとしている日本の「国民国家的思考」は、本当に不思議である。

世界的には国民国家的思想はそろそろ終わるのに、終わろうとしていることを一生懸命やろうとしているのだから。

グローバル化の時代の国民国家は、どちらかというと民主制を壊してしまうような要素があるのだから、強いリーダーシップを持つ政権にならなければうまくいかないと私は思っている。けれど、日本ではそうはならない。

日本の政治は、国民を管理して、フレーム化してずっとやってきたという歴史があり、それに対して国民は安心感も持っている。日本国民はきっと、そのような「独裁政権」が大好きなのだろう。

日本はもう、「いくら声を上げても無駄」というところにまで来ているのではないか。「あなたの一票でこの国が変わる」ということを国が示せば、「選挙は大事」となるのだが、変化しない国を見せながら選挙をしても、それはやっぱり変化しない。

おまけに、政治が変わっても国民に忍耐力がなく、すぐに結果が出なければダメ出しするのだから仕方がない。政治が変わってすぐにうまくいくはずなどないのに。

本当は、「変化はきちんと起こりうる国だ」と信じ、辛抱強く待てればいいのだが、それもできない。

残念ながら、深く考えない国民づくりに教育が成功していると言えるだろう。

## 若者を自殺に追い込む日本

日本では、十五歳から三十九歳までの死因の第一位は自殺である。

この現状を見ると、「日本社会は一体どうなっているのか」と考えさせられる。

なぜ、結論が自殺なのか。それは、自殺する人たちに問題があるのではなく、社会の側に問題があるのではないのかと思えてくる。

問題は二つあると考えている。

一つは、「均一にならなければダメ」という日本社会の空気が、個人を追い込んでしまっていることだ。

世の中には生まれながらに弱い人も強い人もいる。多様性の観点で言えば、弱い人を強くするように働きかけるのではなく、弱い人が弱いまま生きられるように支えなければならない。またときには、強い人が自殺に追い込まれるケースもある。弱い人も、強い人も、個々にそれぞれの特徴を持って生きられるよう、それぞれに必要なサポートをしていかなければならないのに、そうはなっていない。弱い人も普遍的に、強い人も普遍的に、みんなを均一化しようとすることに問題があるのだろう。

もう一つは、日本の教育内容や教育システムのおかしさである。

私から見た日本の教育はいわば、「今の社会システムや社会構造を維持したい」という中高年の思いに、子どもや学生、若者が巻き込まれている状態、である。日本の教育は、大人目線なのだ。「早く大学を決めて、早く就職活動して早く就職しないと遅れる」などと、大人は学生たちの不安を煽るが、人生百年の時代に、一体何に遅れるというのか。留年してもいいし、大学卒業後にアルバイトを経験してから就職してもいい。なんとなく社会に漂っている焦りは、これまでつくり上げてきたシステムが失われることに対する中高年の焦りに過ぎない。

日本の教育に必要なのは、自分の人生を自分で考えられる力を育むことである。日本では、学校で「すべきこと」ばかり与えられ、自分でものごとを選択する力や社会を変える力は育っていない。大人が進学先や勉強法、正しい価値観を決め、その通りに子どもや若者を育てようとし、彼らはまるで大人にとっての「道具的存在」にも見える。大学入試も、受験生の側が、社会の持っているスケジュールとリミットに合わせなければならない現状で、自分に合う大学をじっくり選ぶというより、何かに急かされるようにテクニカルに入試に臨む。誰のための入試なのかわからない。

学校になじめない人、就職で失敗した人が命を絶つ、というケースがあるが、これは、学校になじめないから、就職できないから自殺するのではなく、学校になじめないこと、就職できないことを周りから責められるように感じるから自殺する、という面もあるのではないか。「就職できなければ人生終わり」という社会的プレッシャーをところどころで

国際連合の機関　2018 年

感じるが、「就職できない」というだけで人間としてやるべきことができていないように見える社会とは、そもそもおかしな社会なのだ。

　死という選択をしてしまう人たちの背景をじっくり見つめ、それでもなお、「自殺は本人たちの責任だ」と言えるだろうか。


　日本では、パターン化されているものに当てはまらないことを「悪い」と捉える価値観が正当化されているように思う。

　そんな社会では、パターン化されているものに合わない人は、「自分は生きる権利もない」と思い、追い込まれていくのが自然だ。言いかえれば、社会が追い込んでいく。そういう側面があるはずだ。

命を絶つ前に、その人は誰かと話をする場がなかったのか、ということも考えてみた。だがおそらく、今の社会構造の中でどこかに相談してみても、最終的には「おまえ、もっと頑張れ」と言われる羽目になるだろう。「引きこもっていないで、とにかく社会に出てみたら？」とか何とか言われるのかもしれない。

社会が悪いのに、その社会に出ろとは、どういうことやねん！と言いたくなる。

みんながパターン化された思考で、社会構造が今のままで変わらない限りは、悩んでいる人たちが自分の状況を改善するのは難しい。

おそらく徐々に、これから十年、二十年かけて、「今までのレール型の社会が必ずしもいい社会とは思えない」という意識も出てくるだろう。それが定着するのを待つしかないのかもしれない。

そもそも、日本人はお互いに厳しすぎる、と私は思う。

学生たちとの国外研修で、印象的だった出来事がある。

パリで朝六時に集合して朝ごはんを食べようと待ち合わせた時のこと。集合時間に間に合わなかった子がいた。反省しているようだったが、周りの学生たちには受け入れる姿勢がない。本人がとても申し訳ない気持ちにさせられるような雰囲気なのだ。いっそのこと、集団から自分が消えた方がいいんじゃないかとか思うほどの重苦しい空気に耐えられず、その学生は、国外にいるのに一人で引きこもってしまった。

別に、「どうしたの?」でも「よく寝た?」でも何でもいいから、声をかければいいことなのに、みんな無視する。

怒っているなら、ケンカすればいい。ケンカしたらそこで終わり。それなのに、ケンカもしないし、議論もぶつけ合わない。

日本の社会では、みんなに受け入れられて初めて自分の存在が容認されるようなところがある。そんな社会では、みんなから無視される体験をした子は、自分の存在が否定された気持ちになってもおかしくない。

そして、引きこもることを考えたとしてもおかしくない。

私が日本に来て一番怖かったのは、この日本社会は、どこに「オン」と「オフ」があるかがわからないことだった。ずっと「オン」にしっぱなし。学校も家も社会も趣味も、全部「オン」。

趣味といったら、まるで専門家のような勢いになるので、ビックリする。

「映画を見るのが趣味で」と言ったときには、映画オタクが近づいてきて、○○監督のあの作品のこのアングルが、撮り方が……って、うんちくを垂れてくる。

なんやねん！　知らんわ！

こっちは、軽い気持ちで映画を楽しみたいねん！

コスプレーヤーのことをあまり知らずに授業で軽い発言をしたときには、受講者の一人が研究室に来て、コスプレについて延々二時間教えてくれた。コスプレーヤーがいかにキャラクターに対する知識とリスペクトを持っているか、ということをご丁寧に教示してくれるのだ。

「あ、そうなんや。服着て遊んでるんちゃうんか」と言うと、服を手作りしていること、それにかける時間とキャラクターとのコミュニケーションの重要性、思いを寄せ合っているんだとか、ものすごく細かく聞かされた。

「え、この子、どこでリラックスするの？」

養老孟司氏との対談　2013 年

と、正直そんな気持ちにもなる。

トルコのノーベル文学賞作家オルハン・パムク氏が二〇〇八年に来日した時のこんなエピソードもある。

分刻みのおもてなしがあり、取材がたくさん入ったことが負担になり、せっかく京都に来てくれたのに引きこもってしまった。

京都精華大学が京都市と共同で運営する京都国際マンガミュージアムを会場にして準備していた講演会をキャンセルし、中止になってしまったのだ。

精神的なダメージを受けて病んでしまい、「パートナーを呼んでくれ」と言うので、ニューヨークからパートナーに来てもらった。

京都精華大学でも彼の講演会と懇親会が予定されており、こちらの講演会では主に通訳者が原稿を読み上げることにして、彼は質疑応答で答えた。

懇親会で彼と話す機会があり、悩みを聞かせてくれた。

引きこもった原因の一つは、過剰なおもてなし。日本側の対応について、彼は理解ができなかったと漏らしていた。

外国人が日本に出張に来ることになると、受け入れ側は何度も何度もミーティングを重ね、「その人の三日間をどうするのか」などと話し合う。午前中の担当は誰にするとかなんとか決めるけれど、ゲストにとっては超迷惑なこともある。

そのゲストが夜飲みに行くと、次の日にスタッフの元にレポートが来る。「あのゲストは遊んでばかりいる」と。

夜、飲みに行ってもいーじゃん！

五十歳を過ぎた方にそんなことを言うなんてどうなのか、という話である。

たくさんおもてなしをしてもらったゲストは、日本側の期待に応えなきゃいけない。結果的にその人のストレスになっていることに、全く気づかない。

実をいうと、私も京都大学の大学院生のころ、スタッフとしてこのような段取りをし、会議をたくさん重ねたことがある。また、ゲストが遊びに行ったというレポートもたくさん聞かせた。しかし、いまだにそのようなことが続いているのが事実である。

ゲストが、過剰なおもてなしに対する不満を私に打ち明けることがある。一方で、日本はそんな国であると期待してくるゲストもいて、私の低レベルなおもてなしに不満な場合もある。複雑だ。

果たして日本人には、本当の意味でだらだらしたり、何もしないでボーッとしたりする時間はあるのだろうか。

いつも頭や心を働かせ、どんどん何かに接続するために、どんどん詰め込んでいく。やはり日本人は、心も体も縛られるのが好きで、時間に縛られるのも好きなのだろう。小中学校からの教育システムがそのようになっているのだから、本当に難しい。

だらだらできないような国民性。常に将来につながることをやっていないとダメだという空気。何かの役に立っていなければ生きられないようなプレッシャー。就職が全てだという思い込みや、社会のシステム。それらのことと、引きこもりや自殺というのは、全てつながっているのではないか。
日本人よ、もっと肩の力を抜こうぜと、私は言いたい。

第七章

# 大学よ、意志を持て

## ──サコ、大学を叱る──

京都精華大学前学長で漫画家の竹宮恵子先生と談笑　2020 年

# 大学で最初に学んでほしいこと

日本の大学は今、揺れている。学長という立場になり、大学教育に対して考える機会も多く、伝えたいことがいくつもある。大事な部分なので、この章では少し真面目に、大学のあるべき姿について語ってみようと思う。

まずは、大学で何を最初に学んでもらうか、ということだ。

これまでも語ってきたように、日本の学校教育のフレームの軸の中心は、「個人の幸せ」というところにはない。そして、小中学校や高校の教育に疑問を持つことなく枠の中で学びを完結してきた子の多くは、自分を問い直す経験をしたこともない。

多くの子が、疑問を持たないまま大学教育を受け、社会に出たときに初めて、「これで自分は幸せか」ということについて真剣に考える。

そうならないために、どうすればいいのか。

私は、学生たちには、専門教育に加えて、自分自身をしっかり見つめてもらいたいと思っている。それが、大学での学びの基本となるからだ。

京都精華大学では、その第一歩となるような授業を用意している。入学して最初に受けてもらう授業で、自分を問い直す機会をつくっている。普通科目の「哲学」をはじめ、「私とは何か」を考えさせるような「ことば演習」の授業、コミュニケーションを向上させるグループワーク型の大学入門、そして、私が担当している一、二年生向けの「自由論」もその一つである。

ことば演習の授業は、コミュニケーションプログラムで、自分を知り、他者と対話する力を身につけることを目指している。

まず「モノローグ」で自分と向き合い、次の「出会いローグ」で、それを他人に伝える努力をする。

「ことば」は、自分の中にあるものにかたちを与え、他者と対話するためのものである。若者たちが自分の考えを言語化して「ことばの力」を身につけることは、出会いローグを生むような社会システムにつながる。

今の日本の教育を考えると、大学がやるべきなのは、まずフレーム化の中で学んできた学生の価値観を揺さぶることではないか。これは、専門教育を手がける大学であっても最初にやるべきだと、私は考えている。

もう一つ大切なことは、多様性の中で学ぶということだ。

医療系の大学で、こんな話を聞いた。医学を学んだ学生にとって今一番大変なのが、いざ医療現場に行くと多様な患者がやって来ることだという。

以前は似たような患者が多かったのが、多様な人種、多様なバックグラウンドを持つ人が来るようになり、その人たちを尊重しなければいけないけれど、それに対する教育はどこにもなかった、というのだ。

診断や治療がそれほど難しくない病気の場合、患者が診察の時間に先生と話して安心できる、ということが、治療の中で重要になるケースも多い。日常生活の話題で気持ちをほぐし、その人の話を聞き、理解する。そういう基本的なことに、みんな慣れていない。

大学は専門教育をした方がいいと思いがちで、もちろんそれも大切だ。しかしこれからの時代は、将来どんな道を選ぶにしても、多様な人とともに生きていくことになる。同じ属性の人ばかりで社会をつくっていける時代ではない。

多数派として生きてきた人たちが、多様な人を理解し、一緒に生きるということ。それは、この社会で生きていく上で、専門教育以上に必要なことだと思うのである。

## 大学は就職予備校でいいのか

保護者と個人面談をすると、いつも出てくる質問がある。

「うちの子の成績はどうですか」

「うちの子は就職できますか」

この二つである。テンプレート化してもいいくらい、だいたい同じ。

そして答えはすぐに出る。パッと成績を差し出して終わり。

成績が悪ければ、「うちの子がすみません」と、なぜか謝られる。

私が教育懇談会に対して持っているイメージは、ちょっと違う。この大学の教育をどう充実させていくかということや、親がやるべき部分と大学がやるべき部分をどう情報交換し、うまく組み合わせていけばいいか、といったことを話す場である。講演会ではよく出るが、個人面談でそんな話はほとんど出ない。

大学は「サービス業」なのか？

学生が就職できるようにサービスし、学生の親から選んでもらえるように力を入れることが仕事なのか？

そんなふうに思うこともある。

学費を出してくれる親が選んでくれなければ、大学の経営が厳しくなるというのはもちろん事実ではあるのだが、何かが変だ。

日本の多くの大学は今、超産業向きになっている。まるで就職の準備場所だというようにつくられ、「就職予備校」と化している大学もある。若者たちは、就職に有利な大学に入り、その名前だけで一生食べていくような感じなのである。

京都精華大学の就任式・辞令交付式　2019年4月

だが、それでいいのかと、私は疑問を持っている。

日本では、「いい大学に行かなければいい社会生活ができない」というのが一般的な考え方のようである。

本当にそうだろうか。

そもそも何が「いい大学」で、「大学に行く目的」は何なのか。そこが明確になっていない。

大学とは本来、人間形成の一つのステップである。それなのに、今の時代にはそのように捉えられず、むしろ「就職できる人のパーセンテージの高い大学＝人間形成に力を入れる大学＝いい大学」というようにどんどん置き換わっているし、そこをみんなが容認している。

就職が全てではないはずなのに、今の社会全体が、そこに大きなプレッシャーを感じている。

社会を含めて、同じ価値観になっているのだ。

大学自身も、そういう視点で親に選ばれないと生きていけないと思っているように見える。どこかで納得していないのに認め、その風潮に合わせて就職支援に力を入れている。

「いかに就職を保証してあげるか」というところが大学の価値と結びつき、就職率でランキングされていることに、「違う」と言うどころか、合わせようとしているようなのだ。

大学が就職予備校と考えられている以上、親は大学に投資する価値があると考えるだろう。わが子には三浪か四浪をしてでも、「いい大学」に入ってもらい、しっかり就職してもらうことがいいと思う。

けれど、それが本当にその子の幸せになっているかどうか、ちゃんと深く考えているだろうか。そうでないならば、私は、そこに問題があると思う。

その学生にとって、本当に就職だけが幸せなのか。これからその子が生きていく上で何が大事なのか。きちんと見つめ直すべきなのだ。

今の大学教育に、「個人の成長」という視点は少ない。就職予備校的な要素が強いという現状に気づいた学生は、自分で考えて頑張るけれど、気づかない子はそのまま、本当に何も身につけることなく卒業してしまうこともありうる。

そこをどう変えていくのかということを、私は考えている。

大学が一人ひとりの人間形成の場だというふうに認識されたならば、大学のあり方や位

2人の子どもたちと。京都の自宅にて　2017年

置づけ、大学に対する評価も変わってくるだろう。

大学側は、自分たちが就職率で格付けされるためにそれを意識している。けれど、別の国では違う。

就職にダイレクトに結びつかない人文学や教養知を教えていながら、社会から教育内容が高く評価され、学費がとても高い大学もある。学生たちはその大学を出てすぐ就職するわけではなく、そこからさらに別の大学へ行って学ぶ。実はいい教育をしていればそれが自然と何らかの形でその学生の将来に結びつく。

日本は教育期間が短く、大学二年や

三年の時点で就職を考え、大学に入る条件さえ就職率で選ぶ傾向がある。本来大事であるはずの「そこで何を学びたいか」ということは、残念ながら多くの人にとって選考基準にはなっていない。

京都精華大学はこれまで、就職率などというところとは違った視点で選ばれてきた歴史がある。社会的地位が高く、意識の高い層の人たちが、自分の子どもを学ばせている。京都大学のかなり多くの教授の子息も、ここで教育されている。

「選ばれる大学」になる力を、私は取り戻したい。

他の大学に負ける負けない、というようなことではなく、「大学の教育方針や教育内容が素晴らしい」と言われる大学でありたい。「この大学で教育を受けたい、この大学を自分の人間形成の場にしたい」と思われる大学でありたいのだ。

選ばれるためには、親や学生の価値観が変わらなければならない。どうすれば変わるのかというと、社会の中での大学の位置づけというものを、大学側から問い直せばいい。その中で議論が起こり、社会全体の考え方は変わっていくだろう。

大学は、社会にどう語りかけるのかが今、問われている。

私は、京都精華大学が持っているメッセージを出し続け、若い人たちに、大学で学ぶ本当の意味を見せていくつもりだ。

## 大学は無償化するべきか

大学を無償化するべきか――。

これは、日本で近年議論になっているテーマである。奨学金の返済に追われる若者たちのニュースも、後を絶たない。

無償化や奨学金の問題は、「大学は何をするところか」という議論と併せて考えなければならないと、私は思っている。

今、大学は、「行きたい」ではなく、「行け」と言われて行く、あるいは「行くものだ」と思っている人が行く現状がある。就職予備校的な存在になっているのに、全て無償化するべきなのだろうか。

大学は「誰でも行ける」ところではなく、きちんと選択制の教育を手当てする。そして、本当に学びたい人が学ぶ場として、「就職したい」人だけではなく「学びたい」気持ちが強い人に限って無償にすればいいと思うのである。

日本の大学や教育制度を見ていて、不思議なことがある。

あんなに小中学校や高校で国家が思い描く「日本人」をつくっているのに、なぜか大学は、その日本人を維持するようなシステムにはなっていない。

学費の私費負担が大きく、奨学金システムも厳しく、せっかく日本人をつくっても、その日本人が生きていくためのサポートシステムができていない。単に「就職力をつける」というだけで、大学を出て精神的に自立して国民として働き続けられるようにもなっていない。

マリはどうかというと、少し違う。マリでは大学まで教育は全て無料だが、できない子は小学校の段階から切り捨てられる。だから、本当のエリートが育っていく。もっとも、これによって国民の一部は読み書きができないという問題が残る。これが必ずしもいいとは思わないが、一つのやり方ではある。

一方でフランスは共和主義で、自由平等を標榜する基本理念「ライシテ（政教分離）」を掲げ、そのシステムの中にいる人は自立した人間として生きていけるよう、教育を全て無償化している。共和制の下で育てられた人間を支援する義務が国にあり、そうでない留学生たちには学費を課す、という考え方だ。

日本は、同じように国民国家を維持しているのに、国民国家のメンバーが自立して幸せになるようなシステムがない。

アメリカは、教育というのは一つの産業で、投資する場所だという考え方だ。ただ、その投資の先にあるのは「就職」ではなく、一人の人間をどうつくるか、という視点であり、「人」への投資。人をつくったあとは、国際的にやっていけよと放り出す。それにみんなが参画できるようにやっている部分がある。だから、アメリカでは学生ローンはたっぷりあるが、返済期限などは裁量が大きい。

日本では、奨学金は就職すればすぐに返し始めなければならず、就職の目的の一つがその返済になってしまっている。就職のための大学だから、大学を出ても自立した人間に育っていない上、奨学金という借金があるためにすぐ就職しなければならず、返済があるので退職もしにくい。

ＯＥＣＤの他の国や、他のいわゆる先進諸国と比べると、日本の若者は本当に大事にされているのかなと疑問を持つ。いろいろな制度設計が、国民を大切にしているように感じられない。

けれどその若者自身は、自分でこの国を変えることに一票を投じないのだから、みんなが「変えたくない」と思っている、ということだろう。

## 国に振り回される大学

「文科省の言ってることを全て聞いてる限りは、多様性もグローバル化も実現できません」

二〇一九年六月、大学コンソーシアム京都設立二十五周年を記念する講演会の壇上で、私は思いきって発言した。

京都府内約五十の大学と短期大学が加盟する組織で、多くの大学関係者が耳を傾けていた。

講演が終わると、他の大学の学長が近づいてきて、小さな声で私にささやいた。

「ごもっともです」

大学が文部科学省の実験場にされていると感じることがある。

京都の文化人たち。左から門川大作京都市長、著者、京都国際マンガミュージアムの荒俣宏館長、ノーベル生理学・医学賞を受賞した本庶佑氏　2019年4月

大学改革にあたり、私は文部科学省に問い合わせる機会を何度も持ってきたが、持っている教育指針や法律は相当に古いものが含まれている。五十年前の情報がそのままあり、今の時代には絶対に合わないものが多い。問い合わせをすると、驚きの連続である。

大学教育や改革に関して、文部科学省はさほど検証した論理を持っているわけではないように思えた。職員の誰かが国内外の研修で学んだやり方を持ってきて、どこかの大学で実験的に試して、それが成功すれば制度化し、全ての大学に国の方針として通達する——ということを繰り返しやっている面もあろう。

そして、大学はその都度自校の教育理念との整合性を検証せずに、国の方針に従うのだが、そのこと自体が、私はダメだと考えている。

本来、大学には、社会の動向を先読みし、それを応援したり、国が間違った方向に進もうとすればブレーキをかけたり、新しい知識を出すことによって方向を示す役割がある。それなのに大学は今、国に振り回されている。大学がリードしていかなければ大学の自立は実現できないし、知識そのものに対する権利も保障できない。

私学であればそれぞれの大学は、それぞれに理念を持ち、ポリシーを持っているはずである。けれど、国が提案した考え方が自校の理念に反するときに、「ちょっと違うんじゃないか」と言える余地が、果たしてあるだろうか。

京都精華大学には、人と人との違いを認め合い、多様性を重視してきた歴史があり、私たちは、さらに多様性に富んだ大学をつくっていこうと考えている。そのために、まず改革の第一弾として留学生の入試制度を変えた。現状の制度は、グローバル化の社会に全く対応していなかったからだ。

国は留学生を増やすためにかつて十万人計画、三十万人計画を打ち出したが、一方で、留学生を大学の中にきちんと位置づけるための構造というのは何一つ変わっていない。「留学生を増やせ」と言うわりに、授業に対する文部科学省のさまざまな縛りは変わっていない。留学生の能力を測るものは、留学生に特化した試験しかなく、一つのフレームをつくって留学生だけを序列化していくことになっている。

それを私たち京都精華大学は、日本人が受けられる試験を全て留学生も受けられるようにするべきだと考え、改革した。

すると、留学生はいつの間にか上位にいるし、小論文でも学科でも、留学生が一位を取ることもある。日本人と留学生の力の差が見える。

フレーム化された教育を受けさせ、大学に入れてそのまま社会に出す日本のやり方は、実は国際社会の視点で比較するとそれほど大したことはない。日本の教育は、他のOECDの国と比べてハングリー精神もなく遅れている、ということがわかってしまった。

日本では、多くの情報がコントロールされ、遮断されている。

大学は、その構造を破るようなシステムをつくっていかなければならないし、留学生試験は、その一つのやり方だと考えている。

外国人に対する制度や、国が教育を人質に取って制度で大学を苦しませる部分は、絶対に変えなくてはいけない。国の言うことに従わない大学を「悪い大学」とみなすような傾向もあるけれど、私はもっと、大学の教育に対する自由度を高めたい。

二〇二〇年四月、私立学校法の改正に伴い、会社法に近い管理体制が大学に適用された。つまり、企業のように大学の役員の責任が明確化された。「違う」という意思を、大学として示した方がいいことになった。

国から言われていることは当然理解する。けれど、考えが合わない部分があればしっかり話し合う、ということを、大学はやるべきだろう。

## その「学生のため」は真実か

大学を変えることは簡単ではない。それは事実である。なぜかというと、就職率を上げて文部科学省の言うことを聞いておく、というやり方のほうが、誰からも文句を言われず、楽だからだ。

京都精華大学教員とDJ会　2010年

私を含め一部の教職員は、「変えたい」という思いを持っているが、「現状を変えてしんどい思いをしたくない」という教職員がいることも、現実としてある。

さて、その場合にどうするか。民主主義の難しさがここにある。

たとえば、「うちの学部は就職率がいい。改革をやりたくないから、学長の方針に反対する」という人が学部長になったとする。そうすると、せっかく「社会に対してちゃんと大学の理念を言おう」という機運が高まっていても、対立構造ができてしまう。

本当に大事なことを実現させていくためには、大学が一体とならなければ難しい。

大学教員は、社会とのつながりをつくらず、社会に関心を持たず、学生だけを見て自分の研究をやっていればいいのだろうか。私はそうは思わない。

社会とつながり、社会の現状をきちんと見て、自分も成長しながら学生と接することが重要なのに、学生を通してでしか自分のアイデンティティを確立できない教員がどの大学にも増えているようだ。

そういう教員は学生をダシにして、あるいは、言い訳にし、「学生のために私も頑張っている」と言う。

自立せず自分に頼ってくる学生をかわいがる。学生に社会の情報をオープンにすることなく、垣根を高くして言葉で学生をコントロールする。社会と向き合わずに学生だけを見ている。

本当に、それでいいのだろうか。教員は学生に、現実社会で自立する力を持たせなくてはならないはずではないか。

自ら社会に関心を示さずして、それができるのか。

大学は、本当の意味で学生を中心とした教育をやればいい。

だが、文部科学省は教員に対しても厳しく、数々の制度でコントロールしようとし、組織の中でさえ管理社会になっている。

「文科省の言ってることを守らなければいけない」

「守らなければ怒られる」

「補助金をカットされる」

そんな声も耳にする。

日本の大学はおそらく、どこも同じような問題を抱えている。文部科学省の姿勢を、教職員たちも結局のところは容認するしか方法がないように見える。

当然、今の世の中で声を上げすぎると孤立していくという懸念はある。保護者の反対にあい、サポートされないかもしれない。

それでも、学生のために、「正しい」と思う理念は曲げず、正しいと思われる内容の教育を行っているのであれば、国の提案や改革に乗らない判断をしてもいいのではないか、あるいは、議論をする場を設けてもいいのではないかと、私は思う。

日本の大学には、本当に自由がないのだろうか。

大学全体で立ち向かう自由度がないというよりも、就職率などでランキングされていることに一生懸命乗っかろうとし、文部科学省の言うことを無条件に一生懸命聞こうとしているように、私には見える。それ自体が、これまでリベラルと思われていた大学さえ、自分たちを不自由にしているのではないかと感じるのだ。

大学は、今こそ意志を持ち、学生のためにならない方針やおかしいことには立ち向かう力を持たなければならない。

第八章

# コロナの時代をどう生きるか

## ―サコ、日本に提言する―

G20 諸宗教フォーラム　京都、清水寺　2019 年 6 月

## 脆弱だった先進国の基盤

二〇二〇年前半、世界中で新型コロナウイルスの感染が拡大した。

この問題を通して、世界各国の本音や国と国の関係性、安いコストを重視したグローバル経済のもろさ、人々の本音や日本の弱さが明るみになった。

感染が広がり始めたころ、私はアメリカやヨーロッパ、そしてアフリカをまわっていた。アフリカの空港では体温チェックがあり、ジェルで手を消毒させられ、アンケートでは渡航歴をたずねられた。当時の欧米は「自分たちの国の医療環境は充実しており新型コロナはアジアの問題で関係ない」と思っていたようだが、それから二カ月も経たないうちに世界中に広まっていく。

すぐに、いろいろなことが見えてきた。

現在、経済のグローバル化システムにおいて、コストを安くして高く売ることを優先してきたため、さまざまな商品の生産がコストの安い中国などに集中している。

だが、今回のような有事があると、多くの国で日常的に使っている必需品が手に入らなくなった。たとえば世界で使っているマスクのほとんどが中国製であり、どの国でも手に入りにくくなった。工場自体は日本や欧米の資本下にあっても、中国政府はマスク輸出に制限をかけることができる。もちろん、国際法的には中国にそのような権限はないのだが。

こういう事態になると、中国からの輸出の途中で、ドイツ向けに送られるマスクがフランスにとられたなど、世界各国で確執が見られ、ヨーロッパ諸国の関係はこんなに弱かったのかと思ったものだ。

私たちがしっかりできあがっていると思っていたグローバル経済の基盤は、実はそうでもないということがわかった。国の本音、国と国の関係性、コストを重視したグローバル経済のもろさが表面化したのである。世界の政治家が訴えるグローバル化は経済を中心とした考え方である。経済ばかりを追求したグローバル化が進んだことで、経済基盤そのものが崩壊してしまった。

今後は、世界各国は輸入に頼りすぎることなく、それぞれの国に見合った必需品の生産様式をつくり、自国でしっかり供給しなければならない。また、国同士の関係や経済のグローバル化とは違った部分で、個と個の関係や多様性をもっと大切にする必要がある。グローバル化とは何か、ということを考えさせられる出来事となった。

## 第二次世界大戦後の状況に似ている

感染拡大でさまざまな国の本音も見えた。ヨーロッパとアフリカ、アジアとヨーロッパ、中国と世界の関係も明るみに出て、お互いに不信感を持った部分も浮上している。どのように信頼を回復すればいいのか。今後の課題でもある。

アフリカとヨーロッパの関係で言えば、フランスの医師が「ワクチン治験はアフリカで」と発言するなど差別意識が見える一方で、アフリカ人はヨーロッパ諸国の社会基盤のもろさに気づいている。また、表に出ていなかった中国への依存関係も見え、今後は経済のあり方や国同士の関係も変化する。つまり、世界の新しい秩序が出現するだろう。

今の状況は、第二次世界大戦後の状況に似ている。

ヨーロッパ諸国の植民地だったアフリカの人々は、フランス兵やイギリス兵として最前線に立ったが、戦場でのヨーロッパ人の弱さに落胆した。それが、その後の独立運動につながっていく。今回の新型コロナ問題でも、アフリカの人たちが憧れていたヨーロッパの社会基盤は、実はたいしたことがないことがわかってしまった。

これまでは、多くの若者が魅了されたヨーロッパを目指し簡易ボートで海を渡る、危険な移民行が見られた。新型コロナウイルスの感染拡大によって、こうした移民が一時的に見られなくなり、それぞれの国で弱かった資源を産業化することで、国内経済の発展につながれば、社会をよくするきっかけにもなる。

今回、イタリアが緊急事態に陥ったとき、社会主義国キューバの医師団が、サポートに入っている。キューバといえば、これまでヨーロッパから見れば社会的、経済的に遅れていると思われ排除されてきた国だ。イタリアは移民政策が厳しい。アフリカからの移民を差別し排除するような政策をとっている。ところが、キューバ医師団の半分以上が黒人系であり、アフリカの各メディアではこのことを大きく取り上げている。そのなかでは世界秩序に何らかの変化が起こったという、前向きなコメントが多かった。

経済面では、ずいぶん前からイタリアと中国がブランド製品の生産でつながっていたことが表面化し、中国が世界の工場としての役割を担っていることが、あらためて明らかになった。今日、グローバル化された経済活動の中で中国が世界経済をサポートしており、目に見えない形でいくつかの国が中国に依存する関係であることがわかった。

## 国民は国を信頼しているか

店舗や施設の休業をめぐっては、日本は補償が期待できず休めないケースが問題になったが、北欧やドイツは、要請に応じれば必ず国から補償されると国民はわかっており、国との協力関係ができている。特に北欧は、保険料や税金が高いといわれるけれど、こういうときに国民をどう救うかという部分では、参考にすべき点がある。

アフリカ諸国の管理能力への見方はさまざまだが、いくつかの国の対応策は高く評価されている。また、エボラ出血熱の対策に慣れた国は、現状ではある程度コントロールできているはずだ。感染が拡大すれば医療崩壊するという危機感を共有し、若者中心の社会活動が盛んである。手洗いを呼びかける、装置がない村に検査キットを提供するなど、地域共同体や家単位でインフラ不足を支えている。

大きな問題もある。アフリカの人々の新型コロナウイルス感染症に対する知識が乏しく、社会生活に関する自粛行為を呼びかけても応じない人が多いことだ。とはいっても、感染拡大で大変なことが起こるという危機意識は持っている。特に若者がＳＮＳで世界の動向を共有し、さまざまな対策への協力を行っている。日本のようにインフラがしっかり整っているわけではないが、その分みんなで議論して、地域共同体単位や家単位で、力を合わせて防いでいる。

感染対策に成功している国とそうでない国がある。成功するためには、死者の数だけでなく、国としての未来への希望が失われていないことが重要だろう。

希望のある国と地域は総じて統治能力が高い。アジアで成功している国や地域を見ると、たとえば、台湾では政権を構成しているのが政治家というより専門家集団であり、現場のことをわかっている。また、北欧諸国は、国民が国の統治能力を信じ、社会基盤がしっかりしている。そういう国々は、死者が出て影響はあるけれど、前向きに、感染問題に向き合っていこうという姿勢が見られる。一人ひとりが自分の行動をコントロールし、国家の指導部への信頼感も高いようだ。

日本は政府の決断が脆弱で、どこまで責任を持つのかはっきりしないため、国民がどう動けばいいのか迷っている。国は何かあったときに「おまえのせい」と言われることを恐れている。国民が非常に不安定な状況になっているのは、ものごとを決める政府の決断能力と意思決定プロセスに問題があるからだ。

政府と地方自治体の権限の範囲や意思決定プロセスも複雑である。国には、決めたら責任を持たないといけないという意識が働き、自治体は、国より先に勝手に決めると責任を持てないと考える。

実は、大学も同じである。

文部科学省が何も言わないうちに勝手に授業を全部休みにするとか、半期の授業をなしにしたら、それをやった大学に対して文部科学省は「勝手にやったおまえらの問題だ」と言ってくるだろうから動きにくい。

## 政治に関心がないのに政府に依存する

話を戻そう。日本では政策決定システムにおいて、地方分権と言いながら、地方はそれほど権限を持っていないように思われる。国の決断を待っているうちに、感染者が増えていく。だからこそ、強いリーダーシップを発揮して自ら決められる権限を地方に与えなければならない。地方の政治家は、「人形」のように存在するのではなく、責任と権力を持って、地域の発展や幸せを考えられるようになってほしい。

休業要請が出されていた時、街を歩いていると、立ち飲み屋、立ち食い店が営業している様子を見かけた。経営者は生活がかかっており、売り上げは少なくても補償がなければ営業せざるをえない。どんなにクラスターが発生しやすい場所でも、経営者を助けるシステムがない限り、休むことはできない。

休業要請すればいきなり人がいなくなるのではなく、その裏を見なければならない。店を閉めてほしいなら、その人たちが困窮状態にありながら休業できるのかどうかを考えることが重要だ。今回、特に厳しい状況に置かれているのは外国人の雇用に頼ってきた中小の店舗だ。これによって支援がない外国人の生活困窮者が増えている。

このような状況と縁がなかったエリート官僚や政治家は、苦しんでいる経営者の気持ちを読み切れないだろう。現場を知り、現場主義になる。ある意味で専門家的な人がリーダーシップをとってやらないと、現場の人たちの気持ちは汲み取れない。

今の政治家の一部は現場感覚や想像力に欠け、市民生活を考えれば当然必要な休業要請と補償をセットにしていない。他の国のように半年間、光熱・水道費や税金をゼロにするなどの有効な方法もとらず、政策がインパクト重視でポピュリズム的と言われても仕方がない。「いかに有権者にいい顔をしながら期待される決断をするか」という意図だけが伝わってきて、結局は自分たちが損をしない範囲のことしかしないとわかってしまったため、国民の気持ちが離れている。

日本の政治家の一部には、自分でものごとを決められず、官僚や専門家会議から説明されても理解できない人がいると言っていい。そういう人たちによってものごとを決められて、はたして大丈夫なのか。

また、問題になった安倍首相が犬を抱いてお茶を飲む動画も、自国民が何百人と感染すれば眠れないほどの悩みになるはずで、国民への気持ちはその程度だと宣言したようなものに思われてしまった。本当に国民を思うなら、自分のクビが飛んでもいいくらいの覚悟で大胆な政策を発表してほしいと、国民は期待しているはずだ。

興味深いのは、日本人は政治にそれほど関心がないのに政府に依存し、国からの発言を待っていることだ。今は自治会レベルでも国の決断を仰いでいる。

アフリカも政治不信は同じだけれど、まだギリギリ地域共同体が機能しているため、地域の動きを逆に政治家が利用してサポートする例が見られる。昔の日本は、京都の地域住民が国に先駆けて小学校をつくるなど共同体の力があったけれど、共同体が壊れ、相互扶助もできなくなっている。

# 教育のあり方は変わるか

小中学校や高校、大学の教育のあり方も変わっていくだろう。

私が最も恐れているのは、従来の教育のあり方にこだわりすぎて、柔軟性が持てないことによる教育の崩壊である。

京都精華大学の実習では、技術だけではなく、学生の能力を伸ばしていくため、生身の人間が関わり合いながら授業をしているが、質を維持するための一つの選択として、今は遠隔授業を取り入れている。

大事なのは、学生たちの学びの姿勢と、モチベーションを下げないことであり、常に知識と触れられるような状況をつくることだ。

遠隔授業にはアドバンテージもあり、復習ができたり、コミュニケーションの場を増やしたりもできる。ゲームに近いような授業をしたり、参加型授業、反復授業や反転授業などをしたりする教員もいて、授業そのものの内容に結構工夫が見られる利点もある。当然、これからはもっとクリエイティブな授業のやり方が出てくるだろう。前例がないということは、正解がないということ。可能性に満ちているということだ。

小中学校や高校について、OECD加盟国の多くは以前からオンラインと対面式授業を併用してきた。しかし、日本は対面式を重要視し、オンラインと併用させてこなかった。国や自治体が各家庭に最低コンピューター1台やポケットWi－Fiを提供し、生活と子どもの教育に使ってもらう、というような手伝いもしてこなかった。こうしたところは改善されなければならないだろう。

日本では、先生に呼ばれて初めて、自分の子どもの成績がいい（悪い）ことがわかる。学校は、「親に迷惑をかけてはいけない」「親は忙しい」と考え、親の負担を軽減しようとする意識を持っているので、コミュニケーションが取れない。そもそも「親が子どものことを考える暇もないほど忙しい」という現状には、疑問がある。学校と親がオンラインでつながり、双方で学習状況をしっかり共有するなど、コミュニケーションの手段が変われば、親も子どもの変化を追いかけられる。

また「子どもが二週間家にいると親が大変」という声をよく聞くが、親がわが子とじっくり二週間、一緒に過ごせない状況がつくられていることに、私は驚いた。日本は、子どものことで親が仕事を休んでも、国や自治体または会社が全面的に補償する制度になっていない。休んだ分、損をするとなれば、子どもを育てるお金が減るのだから仕事をしなくてはいけない。そういう社会だから、わが子との向き合い方がわからない親が増えていると思う。こうした機会に社会のあり方を変えていくべきだろう。

休業が長引いたことで学力低下を心配する声もあるが、学力とは、二週間学校に行かないから低下する程度のものなのだろうか。

ヨーロッパやアメリカ、アフリカなどでは、夏休みが二カ月の国もあり、場合によっては子どもたちは宿題もないので家でだらだらして過ごしている。その中でも、子どもたちはものごとを観察し、考え、賢くなる。人生百年の時代に、子どもが一定期間、学校での勉強をしなくても、学力においては大して問題にならないはずだ。

親は、子育てにおいて自分たちの立ち位置がわからないのではないか。学校に任せ、学力が上がるかどうかも全て学校のせいにしている。学力を低下させたくなかったら、子どもと新聞を読む練習をしたり、ニュースを見て議論したり、外に出て自動販売機で算数の計算をしたり、自然に触れて経験や思い出を話したり、いろいろな方法を試みればいい。

# 他人は解決してくれない

今回のことで、私たちは技術が進歩しても、人間は人間との生身の関係にこだわっていることがわかった。学生たちは、遠隔での授業を受けたがらない。普段は半分寝ながら授業を聞いているけれど、それでも、先生の声が直接聞こえてくることが、非常に重要だったのだ。迷惑をかけ合いながらの、生の人間関係が大切だったたと、今になって感じている。

実はみんな人間が好きなのだ。「外出するな」と言われているのに、なぜ外出してしまうのか。それは、「人間は一人ではダメだ」ということだろう。

今回の事態で、日本人の本音に触れた気がする。冷静に見えて他人へのいらだちを募らせていたり、堅い職業の人が、歌舞伎町やパチンコ店でこっそり気分転換していたり、表と裏の二面性がある。プレッシャーの強いストレス社会なのだろう。

また、「自分ではない誰かがしてくれる」という気持ちが強い。サービスが整いすぎているのが日本の弱さで、知恵や能力を使う機会がなく、自ら考えて動くのが苦手で他責傾向がある。

ただ、わかっているのは、この問題は誰かが解決してくれるものではないということだ。サービスが整っていないところは、自分でなんとかする必要があり、日本の強さと評価され結局、弱さになっているのは、何かを購入すれば全てサービスがついてくることである。サービスが充実しすぎているため、多くの人がそれに甘えている部分があるのだ。

感染症は完全になくなるものではなく、ウイルスは常に存在すると考えていい。特に新型コロナウイルスの完全な封じ込めには相当の時間がかかるといわれている。そしてはっきりしているのは、感染対策は、誰かが代わりにやってくれるわけではない。それだけは理解しないといけない。個人の努力と責任に、完全に任されているところがある。他人がやってくれないことを前提にすると、一人ひとりの能力は上がる。誰かが解決してくれるものではなく、自分や自分の周りの人や、自分たちの地域でやっていくしかない。

私たちはこの先もウイルスと生きていかなければならず、それに対応する強い社会基盤をいかに持つかが重要である。この機会に、他人がやってくれないことを前提に個人の能力を上げ、自分自身や地域でやる覚悟を決めて、人と連帯感を持つしかないと気づけば、社会はよい方向に変わっていくだろう。

# 終章

マザー・テレサになりたい、という学生がいた。ネパールの子どもたちの識字率を上げるのだと、彼女は信念を持っていた。

まるで今のネパールには未来がないというくらいに、現状を憂いていた。

「識字率が上がることって、ネパールにとって幸せなのか？」

私はたずねた。

「何のために識字率を上げるの？」

彼女は答えた。

「識字率が低いということは、イコール教育がないということ。ネパールの子には、教育が必要です」

私は、首をひねった。

ネパールの子どもたちは、朝起きたら家族やおじいさん、おばあさんに「おはよう」と言わなきゃいけないことをわかっている。一日の過ごし方だってわかっている。さらにその中で、間違っていることをしたら叱られもする。

その国での生き方、その社会の中でのしきたりや、守らなくてはいけないことを、成長とともに教えられていく。

ネパールに教育がない、というのは真実なのか？

識字率が上がれば、たとえば自国の文化以外のものを読めたりわかったりして相対化できる。さまざまな知識を吸収する度合いが上がるという意味では、重要なことは確かだ。けれど、文化や就労環境などが全く異なる中で、西洋が求めるイメージの教育や教科学習だけを受けたからといって、どれほどの意味があるだろう。

ネパールの子どもたちは、当時識字率がかなり低かったけれど、幸せに生きている顔をしている。

かたや、識字率が高い日本では、生活が大変で精神的に病んで自殺している人も多い。なぜか。ネパールと日本は、何が違うのか。

ネパールで生きている人たちが本当に必要としているものを見つめるために、社会に入って見てみるべきではないか。

そう説明し、私は彼女に言った。

「識字率が低いイコール教育がない、なんて言うなよ」

3.11 直後、東京のマリ大使館職員の子どもたちを京都の自宅に招く　2011 年

日本には、偏差値が高いほうが優秀で幸せになる確率が高い価値観がある。

教育といえば学校の教科学習を指し、偏差値を上げることだと思っている。そして親は子どもに、一生懸命勉強させようとする。

マリは違う。村落部では親が先生に賄賂を渡すことがあるが、その目的は、「うちの子の成績を悪くして学校をやめさせてほしい」というものだ。マリでは都市部や村落部を問わず、「学校教育を受けて成長することは、必ずしも人間の最適な人生ではない」という考え方がある。

マリには、小学校から留年制度も退学制度もあるが、成績でこけない限り学校教育は続く。つまり、「こけさせればいい」のだ。教科学習は、一部の人にとってはためになるかもしれないが、二十年やっても結果が出ない可能性もある。したがって、村落部では学校に進むよりも地域で育てるほうが、その子の人生は充実すると考える人たちが少なくない。一生懸命学校に行かせるのではなく、むしろ一生懸命学校をやめさせようとする。なぜかというと、マリでは多くの人が、学校以外に人間形成の場があるということを知っているからだ。

マリで育ってきた私は、この日本との価値観の違いを肌で感じ、教育とは何か、ということをいつも考えている。


教育とは、偏差値でも識字率でもない。

教育は何のためにあるのかというと、個人を幸せにするためである。

幸せとは何か。その基準は、それぞれの国や地域、民族、個人によって違い、そこには決まった概念もイメージも、正解もない。

本当の意味で自分を幸せにするには何が必要か。子どもたちを幸せにするものは何か。社会を幸せにするものは何か。考えることを放棄せず、立ち止まってみれば、きっと見えてくるものがあるだろう。

私たちはまだ、教育をあきらめるべきではないのだ。

二〇二〇年前半、新型コロナウイルスがやってきて、格差が広がり、人間社会の構造の問題があらわになった。五月には、アメリカで黒人男性が白人の警察官に押さえつけられて死亡する事件が起きた。

私は、二十一世紀の今、こういう事態が起こっていることを非常に悲しく思っている。人種差別主義者とは、知識が足りない人、そして弱い人であり、人類の歴史を知らない人なのではないだろうか。人類の歴史を振り返り、自分が誰であるかを理解すれば、他人を尊敬するはずである。我々人間はみんなつながっているということが見えてくるはずなのだ。

動物たちは群れをつくり、群れの外から攻撃されないように守り合っている。同じ群れの中でいじめるという排除の論理は、人間社会特有のものではないだろうかと、私は思う。

そういう意味では、きつい言い方かもしれないけれど、時々、人間は「動物以下」ともいえる行動をすることがある。人間は他の地球上の生物に学び、自分たちが何者かということを問い直し、自分たちの社会をもっと見直すべきではないか。

人種差別をする人は、強い「立場」にあるのかもしれないけれど、本当は強者ではなく弱者ではないか。弱いから、自分と向き合うこと自体を恐れ、他人を傷つけるのだ。弱い立場にある人に対して自分の強さだけを示し、しかもそれを楽しんでいるかのように見える。「I CAN'T BREATH＝呼吸ができない」と言っているのに押さえつけ続けるというのは、ある意味でその人の弱さが表れている。

弱い人間というのは、お金しか頼るものがないとか、便利さしか頼るものがないとか、人間対人間の関係性がつくれない人たちに多いのだ。残念なことに、その人たちが中心となって社会を構成してしまい、その人たちが差別をし続けた結果として、今回の事件が起こったように思う。私たちは、「序列化する教育システム」によって弱い人間をいっぱいつくり、この社会をつくってしまったのだ。

そして私たちは長い間、それを見て見ぬ振りをし、「いつか終わるだろう」という期待を持ち、集団的自由から個人的自由にシフトしたときに「これで終わりを見ることができ

自宅で留学生を集めたパーティー　2019 年 5 月

たのではないか」と思っていた。けれど、決して終わってはいなかった。

新型コロナウイルス感染症が広がり始めた時、先進国は途上国の問題だと考えていた。けれどコロナウイルスは、肌の色が白かろうが、お金を持っていようが区別せず、どんどん攻撃した。一方で人間の集団は、外から攻撃されるときに敵は私たちを区別しないにもかかわらず、自分たちの中で区別をしてしまっている。

先進国の社会構造をみても、強い立場の人たちの生活を支えているのは、弱い立場の人たちである。しかし、弱い立場の人たちの賃金は上がるわけでもなく、これまで、社会の利便性を一方的に支援してきた。社会の中を見ても、弱い立場にある人たちが強い立場の人を支えている。そして、強い立場の人たちは自分たちだけのためのコロナ対策をしっかりやり、社会の生産を支える側の弱い立場の人たちに対して十分な対応をしなかった。その結果、多くの人が感染していく。おかしな構図になっているのだ。

新型コロナウイルスが拡大してから、株価が上がり、お金を持っている人がよりお金持ちになる。弱い立場の人たちがより困窮する。そういった二方向のベクトルがより強化されてしまい、格差が広がっている。

私たち人間は、あまりにも社会の基盤を弱くしてしまった。外から攻撃が来たときには、責任の押しつけ合いをする。情けない弱さである。人種や地位を理由に、人を虐待したり、人を殺したり、人を見下したりする権利は、誰にもない。私たちは、「人間社会」の中で、お互いに尊敬し合うような社会モデルを持たなくてはならないのだ。


今、世界中の人が、「ENOUGH IS ENOUGH＝もう十分だ」と言ってデモを起こしている。抗議行動のきっかけは警官が黒人を殺した事件ではあるけれど、その中身はすべての差別、すべての格差に対するデモであると、私は思う。各地で人々が団結してムーブメントを起こしているのは、この事件をきっかけに、それぞれの社会の中に広がりつつある格差や差別に対して「もうやめよう」と叫び、歯止めをかけようとしているからではないだろうか。

注目すべきは、誰かが自分たちを救ってくれるわけではないことに人々が気づき、「自分たちの手で世界を変革していかなきゃいけない」という自覚が生まれているように見えることだ。自覚した人々が世界各地で立ち上がり、ムーブメントを起こしている。そう考えれば、私たちは希望を持つことができる。


変革の一つの糸口は、教育である。

私たちは同じ人間であり、ホモサピエンスである。それを教育によって理解していけば、肌の色や地位に関係なく、人間同士の関わり合いにシフトできるはずである。


今一度、考えてみよう。教育が力を入れるべきことは何だろうか。それは、一人ひとりが自分の幸せとは何かを考えること、そして、「人間」の幸せを追求することではないだろうか。

今こそ教育を問い直そう。

教育は変革の力になる。

# あとがき

私が京都精華大学の学長になったとき、日本で初めてのアフリカ出身学長として注目された。新聞や雑誌の取材が相次ぎ、講演会でも話をした。しかし、そこで語った内容というのは、学長になってから急に考えたことではなく、新しい話でもない。長年私が語ってきた内容だった。

ずっと語ってきたことなのに、立場が変わるとみんなの聞く耳も変わる。不思議に思うと同時に、ならば学長になった今こそ、私は自分の言葉を残さなければいけないのかもしれないと考えた。

いきなり「学長」として世間に出たため、私が突然現れたかの印象を受けた人も多かったことだろう。けれど、本書で語ってきたとおり、私は日本の社会でたくさんの経験を積み、たくさん失敗もして、失敗から学んできた。私は、自分だけの足で歩いてきたわけではなく、多くの人に支えられ、人と協動し、当然その過程で折り合いをつけ、紆余曲折があって学長という今の位置にたどり着いたのである。そのたどり来し道を、この本を通してみなさんと共有したかった。

私は学長ではあるけれど、家族があり、子育てもして、人とケンカもする。学長というと遠い存在に見えるかもしれないけれど、そんなふうに思わず、親近感を持ってほしかったし、何よりも、私自身、一人の人間であることを知ってもらいたかった。

もう一つ、この本をまとめるにあたって考えていたのは、日本の大学の未来についてのことだった。

私は、大学を中心とする人間形成と教育は非常に重要だと思っている。だが、大学のしくみや問題点はなかなか世間一般の人たちの目に見えにくく、それを「見える化」したいという思いがあった。

本文でも語っているが、日本の大学教育は、きちんと各大学の理念や目標に合う内容になっているかどうかを確認し、変化する社会情勢に対してどうあるべきかを考える時に来ているのではないかと思っている。

京都精華大学の学長になるまで、ずいぶんいろいろな人にお世話になり、同時に、超迷惑をかけた。

支えてくれたマリの家族や妻、子どもたち、妻の家族・親戚、京都の父であるホストファーザーの小野内悦二郎さんに、まずお礼を言いたい。そして、マリの学校やお世話になった中国の大学と日本の大学にも感謝している。

特に、日本の留学の第一歩をサポートしていただいた杉野丞先生（愛知工業大学教授）、京都大学で指導してくださった（故）巽和夫先生、髙田光雄先生（京都大学名誉教授）、宗本順三先生（京都大学名誉教授）に感謝の意を表したい。また、同じ研究室のメンバーとして公私ともに支えてくれた毛谷村英治さん、吉田哲さんに感謝したい。未熟な研究者として快く研究グループに参加させていただき、研究分担者として数々のチャンスを与えていただいた嶋田義仁先生（中部大学客員教授）に格別に感謝の意を表したい。共同研究者としてプロジェクトを一緒に手掛けた赤坂賢先生（京都府立大学名誉教授）、吉田憲司先生（国立民族学博物館長）、和崎春日先生（中部大学名誉教授）、阿久津昌三先生（信州大学特任教授）にも感謝の意を表したい。そして、学生の時、下宿を提供してくださり、友人とのパーティーを毎週のように快く引き受けていただいた佐々木勝久さんとご家族に感謝の意を表したい。

京都精華大学の教職員は、私が教員になった時から快く受け入れてくれて、数多くのわがままを聞いてくれた。ある意味で、私らしくいられる場をあたえてくれた。石田涼理事長をはじめ理事会は、教員だった時代から、「大学をよくしていきたい」と試行錯誤している私の思いに応え、支え続けてくれている。また、石田理事長は、学長になってから私が語る数々の夢と真摯に向き合い、理事会メンバーとともにそれに対する的確なアドバイスをしていただいた。みなさんに常に感謝している。この本のアイディアは学生たちとの関わりの中で生まれたものも多く、卒業生のみなさんに感謝したい。

日ごろ会議で忙しく、大学改革の真っ最中であるにもかかわらず、私の執筆活動を見守り、私が思い描いている大学づくりを具現化していくための良き仕事のパートナーとなっていただいている吉岡恵美子、吉村和真の両副学長に感謝したい。そして、上田修三室長をはじめとする創造戦略事務室のみなさん、複雑なスケジュールにもいやな顔一つせず、外部との調整に力を尽くしてくれている高山真由美さんら学長事務担当のスタッフにも感謝の意を表したい。

また、解説文を書いていただいた神戸女学院大学名誉教授で凱風館館長の内田樹先生には深く感謝の意を表したい。日本で退職後を過ごしたくないというのは私の口癖。理由は簡単。魅力的で憧れる退職された先輩が少ないから。内田先生の自由な生き方、知的で的確な発言に心を打たれた。その憧れの内田先生が書かれた解説文を通して、自分の伝えたいことがより明確に見えるのは、先生の柔軟性に他ならない。これからも学ばせていただきたい。

本書をまとめるにあたっては、内容表現について「ああでもない、こうでもない、もっと説明を加えましょう」と的確な指摘をしていただき、ずっとお付き合いいただいたフリーライターの小坂綾子さん、文化や表現のズレを埋めながら大変な編集作業を進めてくださった朝日新聞出版の小林哲夫さんにお世話になり、お礼を申し上げたい。

最後に一つ。

私はいちおう長男だが、母国での長男業をサボって日本で好き勝手していると思われている。そのため、サコ家の兄弟姉妹、Djibril SACKO、Fatimata SACKO、Mory SACKO、Diadji SACKO、Salif SACKOが私の代わりをやってくれている。みなさんには特に、深く深く感謝を捧げたい。マリの家を支えてくれてありがとう。けれどまだまだ私は、これからも放浪の旅を続ける。あしからず。

二〇二〇年六月　京都精華大学長　ウスビ・サコ

# 解説

## サコ先生のこと

内田　樹

僕はこれまで日本で暮らす外国人とたくさん会ってきましたけれど、サコ先生ほどナチュラルに日本語を話す人には会ったことがありません。大学教員の欧米人の中にはときどき「意地でも日本語を話さない」という人がいますから、ほんとうに例外的です。どうしてなんでしょう？

もちろん、サコ先生が語学の天才だということが第一の理由だと思います。なにしろ、一年間で中国語をマスターして大学に入り、一年間で日本語をマスターして大学院に入った人なんですから。

でも、それだけじゃないと思います。それだけでは、あんなにうまくならない。サコ先生には日本社会と日本文化を深く理解したいという思いがあったからだと思います。

「目標文化」と「目標言語」という言い方をしますけれど、ある外国語を学習するときのインセンティブはふつうはその言語を用いる人々に対する関心です。サコ先生があるときに日本人と日本文化を理解したいという強い探求心に衝き動かされた。それは間違いないと思います。でも、どういうきっかけだったのでしょう？

たぶん第一の理由は「日本人女性が好きになったから」だと思います（この本にはそうは書いてないけど、たぶん）。でも、それだけでは、その国の大学の学長になるほどまで深く社会に根を下ろすようなことはふつうありません。では、それ以外の理由というのは何だったのでしょう？

中国留学中のサコ先生は「私にとって、『日本』は謎の存在だった」（四七ページ）と書いています。日本人留学生たちの「電化製品をいっぱい持っていて、いつもレトルトカレーを食べている」生活態度から「とにかく人工的に作られたものを好んで使っている日本人。きっと、合理的、機能的に作られた工業製品に囲まれて暮らしているのだろう」と思った。特に好意的な記述ではないですね。でも、一九九〇年の夏に日本を訪れて、サコ先生の日本の印象は一変します。

パッチはいて「だらしなく過ごしている」お父さんや、ビール飲みながら「わけのわからんテレビ」を見て大笑いしているお母さんを見て、サコ先生は「いいな」と思います。

「パターン多いやん。面白い。
日本にもこういう明るい社会があり、社会性や地域性やコミュニティ感覚があって、人懐っこい人間たちがいる事実を、初めて確認した。」（五〇ページ）

サコ先生において「日本で暮らしてみたい」という欲望が起動したのはこの時でした。サコ先生の関心を日本に向けたのはまさにこの「面白さ」でした。そして、サコ先生をわくわくさせた「面白さ」は「だらしなさ」と「わけのわからなさ」でした。僕はここにサコ先生の真骨頂があるように思います。日本の魅力を語るときに、「だらしなくて」「わけがわかんない」ことを挙げた人は僕の知る限りサコ先生が初めてですから。

教育を論じた章でも、サコ先生は「だらだらすること」のたいせつさを語っています。

「学校以外の、誰にも制約されない時間やだらだらした時間を使って考え、遊びや家庭での経験とシンクロさせて自分の中に落とし込んでいく、というプロセスも必要だ。個性は、そうやって伸ばしていくものであり、余暇の時間をしっかり使うということによってしか、

自分自身は成長しないのではないか。」（一三〇ページ）

教科以外のことにも子どもは関心を持ったほうがいいということは誰でも言います。けれども、それを「だらだらした時間」とは言いません。もう少し微温的な言葉づかいをする。特に胸を衝かれたのは、次の箇所です。ちょっと長いけど、サコ先生が珍しく怒っているので全文引用します。

「趣味といったら、まるで専門家のような勢いになるので、ビックリする。『映画を見るのが趣味で』と言ったときには、映画オタクが近づいてきて、○○監督のあの作品のこのアングルが、撮り方が……って、うんちくを垂れてくる。

なんやねん！　知らんわ！

こっちは、軽い気持ちで映画を楽しみたいねん！

コスプレーヤーのことをあまり知らずに授業で軽い発言をしたときには、受講者の一人が研究室に来て、コスプレについて延々二時間教えてくれた。コスプレーヤーがいかにキャラクターに対する知識とリスペクトを持っているか、ということをご丁寧に教示してくれるのだ。

『あ、そうなんや。服着て遊んでるんちゃうんか』と言うと、服を手作りしていること、それにかける時間とキャラクターとのコミュニケーションの重要性、思いを寄せ合っているんだとか、ものすごく細かく聞かされた。

『え、この子、どこでリラックスするの?』

と、正直そんな気持ちにもなる。」(一五四～一五五ページ)

日本の学校教育には多くの欠点があります。僕もそれについてたくさん書いてきました。でも、サコ先生のように、子どもたちが十分に「だらだらしていないこと」にこれほど驚き、また悲しんでいる論者を僕は他に知りません。「もっと勉強しろ」という先生はいくらでもいますが、「もっとだらだらしろ」と本気で怒る先生は稀有です。

映画オタクも、コスプレーヤーも、別に社会的に特に有用な存在だとみなされているわけではありません。彼ら自身でも、自分たちが周縁的な、不要不急の文化活動にかかわっていることはよく自覚しているはずです。でも、それでも、あるいはそれゆえにこそ、彼らは自分たちの「こだわり」の領域について、ものすごく真面目に、トリヴィアクイズ的情報と深い技術知を身につけようとする。そして、そのことはその領域では高く評価される。

それとは逆に、あれこれの分野について、ちょっとだけ興味があり、ちょっとだけ知っているという人は、日本社会では「半可通」とか「半ちく野郎」とか「ニワカ」とか呼ばれて、軽侮され、しばしば罵倒の対象にさえなります。だらだら映画を見たり、遊び半分に服着たりするのはダメなんです。ちゃんとしたプリンシプルがあって、深い理論的裏付けがあって、献身的にやらないとダメなんです。教科以外のものに対しても、やる以上は生真面目に、徹底的に、偏執的に関心を向けなければいけない。

中途半端に関心を持つくらいなら関心を持たない方がました。

もしかしたら、多くの日本人はそう思っているんじゃないでしょうか。とりあえず親か先生とかにそう断言されたら、勢いに負けて、「あ、そうなんだ」と頷《うなず》いてしまう人はかなり多いんじゃないかと思います。

でも、ちょっと待ってくださいね。そんなことに簡単に頷いちゃっていいんですか？ほんとにそんなこと認めていいんですか？ 中途半端な関心を持つくらいなら関心を持たない方がいい。よく知らないことについては口を出さない方がいいって、ほんとうに世界共通の真理なんですか？

とりあえず、サコ先生は「違う」と思っています。サコ先生の眼には、この信憑こそが日本人に取り憑いた一種の民族誌的奇習に見えている。サコ先生から僕はそのことを教えられました。

実は、前から「なんか変だな」とは思っていたんです。僕自身がそういう人間だからです。いろいろなことにちょっとずつ興味がある。でも、ある一つのことを「とことん極める」ということができない。「この分野については誰にも負けない」というような気の張り方がどうしてもできない。ちょっとだけ興味があることに首を突っ込んで、ちょっとだけつまみ食いして、それぞれの場所で思いつき的なことを言って、専門家に嫌な顔をされる……僕はそういうことをこれまでずっとやってきました。そういう性分なんだから仕方がない。でも、そういう生き方を「良い」と言ってくれた人にこれまで一度も会ったことがなかった。だから、サコ先生の「なんやねん！　知らんわ！」で膝を打ってしまった。

サコ先生、そうですよね！　そんな一生懸命やって、いつリラックスするんだよって。ほんとうにサコ先生の言われる通りなんです。

以前、学会に顔を出していた頃に、発表者に対してフロアーからなされる意地の悪い質問の定型として「あなたは〇〇〇を読んだか」というものがありました。発表者が正直に「読んでません」と答えると、勝ち誇ったように「〇〇〇を読んでもいない人間が、この論件で学会発表とはおこがましい」と切って捨てる。その「〇〇〇」なるものが、この論件を扱うすべての研究者にとって必読である所以については何の挙証もせず、ただ「こんなことも知らない人間には語る資格がない」と一方的に宣告する。

そういうのを横で聴きながら、こうやって研究者であるためのハードルをどんどん高くして、「ちょっと興味がある」程度の若い人がこの分野に参入するのを妨害することで、この人たちはいかなる「よきもの」を創り出そうとしているんだろうと思いました。でも、その時には「そういうものか」と思って、黙っていました。そのうちに、こういうやり方にすっかりうんざりして、ほとんどの学会を辞めてしまいました（唯一の例外は日本ユダヤ学会で、この学会は「ユダヤ」と名がつけばどんな研究をしてもいいし、研究成果についてうるさい査定をしないというたいへん気楽な学会でした）。

でも、そういうのは学会だけじゃない。先ほどの映画やコスプレみたいなサブカルチャーでも同じです。スポーツもそうです。

「ニワカ」というのは、サッカーやラグビーのワールドカップとかそういう祝祭的イベントがあると急に選手名やルールに詳しくなる人のことです。そういう人を「昔からのファン」が罵って、「お前たちにはボールゲームについて語る資格などない」と言って口を噤ませようとする。音楽でもそう。無名でライブハウスに客が数人しか集まらなかった頃からの古手のファンは、メジャーデビューしてから後についたファンを見下して、「何にもわかってないくせに」と冷たい目をする。

こういう態度があまりにもすべての領域で起きているので、つい無感覚になってしまって、「人間、世界中どこでもそういうものでしょ?」と思っていましたけれど、違うらしい。どうやらこれは日本の「風土病」らしい。

いや、わかりません。別に網羅的にデータを取ったわけじゃないんですから。でも、サコ先生が日本の教育について一番気にしているのは「このこと」なんです。だということは、これはよその国ではなかなか見ることのない現象だということです。

社会的有用性だけを基準にして子どもたちを格付けすることの弊は僕にもよくわかります。生産性とか実用性とかうるさく言わないで欲しいと僕も思います。でも、わが国では、社会的有用性のなさそうな領域においてさえ、うるさく専門知の格付けがなされる。ごくマイナーな領域においても、厳密な格付けがなされ、下位者にことさらに屈辱感を与え、発言権を与えないということが行われている。そのことを誰も「おかしい」と思っていないらしい。

アメリカの雑誌「Foreign Affairs Magazine」の何年か前の記事に、日本の学生たちが自分たちの大学生活の印象をどう語っているか取材したものがありました。彼らは自分たちの大学生活を三つの形容詞で表現していました。それは trapped, stuck, suffocating でした（あまりにインパクトがあったので、メモしておいたのです）。「狭いところに閉じ込められて」「身動きできなくて」「息ができない」。これが現代日本の学生たちの身体実感なんです。気の毒だとは思いますけれど、もしかして学生さんたち、自分から進んで「狭いところ」に嵌り込んで、自分で自分を縛り上げて、自分で自分の息を詰めているんじゃないんですか？

サコ先生の言う「だらだら」というのは、「査定されたくない」「格付けされたくない」「意味づけされたくない」という積極的な志向のことなんじゃないかと僕は解します。そして、サコ先生の語彙だと、それがたぶん「自由」ということなんだと思う。

次の引用もサコ先生の怒り爆発の箇所です。


「自由を実現するために必要なことを問うと、こんな答えが返ってくる。

『スクールバスの本数を増やしてほしい』

『休憩を増やしてほしい』

『授業を減らしてほしい』

何もかもが『ほしい』なのである。

どうやら、『他者が、誰かが自分に自由を与えてくれる』と、学生たちは誤解しているようだ。（略）

『誰か私を自由にして』って、なんでやねん！」（一一七ページ）

出ました、「なんでやねん！」。スクールバスの本数も休憩時間の長さも授業数もすべて数値的に考量できるものです。おそらく学生たちは自由というものさえ数値的に測れるものだと思っている。誰かが与えたり、奪ったりできるものだと思っている。だとしたら、これはたしかに病的です。

自由であるというのは、簡単に言ってしまうと、広々としたところにいて、可動域が広くて、選択肢がたくさんあって、深く息ができることです。身体感覚的にはそういうことです。狭いところにいて、選択肢がなくて、息が詰まっているけれど、「自由です」というようなことはあり得ない。

でも、たぶん学生たちは自由にも外形的な条件があると思っている。「授業もバイトもない時間」とか「好きに使える金」とか「顎で使える友人」とか「なんでも言うことを聞く恋人」とか……。これらの項目で高いスコアをとれた人は「自由」で、スコアの低い人は「不自由」だと思っているんじゃないかな。

違いますよ。

数値的に査定されるというのはそれ自体が「狭いところに閉じ込められる」ということなんですよ。他人が持ち込んできたできあいの「ものさし」で測られて、格付けされて、「お前のポジションはここだから、ここから出るな」と命じられて「はい」と答えることなんですよ。「査定されること」と「自由であること」は絶対に両立しません。

もちろん、現実の社会では、いかなる査定も拒否して生きるというようなことはできません。完全な自由はあり得ない。それくらいのことは僕だってわかります。でも、「査定されること」と「自由であること」の間には鋭い緊張関係があるということくらいは、大学生になったら自覚してもいいと思います。

つい興奮して力説してしまいましたが、サコ先生の「自由論」を読んで、いろいろなことが脳裏に渦巻いてしまったのでした。

しまった。気がついたら、結局与えられた紙数を大幅に超えてしまいました。もう筆を止めます。

サコ先生、これからも日本の大学と日本の若者のために、ときどき「なんでやねん!」と雷を落としてください。お願いします。

## ウスビ・サコ年表

| | | |
|---|---|---|
| 1966年 | 5月26日 | マリ共和国・首都バマコに生まれる<br>（父イドリサ・サコ　母アサ・マレガ<br>妹ファティマタ・サコ　弟サリフ・サコ） |
| 1972年 | | 小学校入学。バマコ唯一のカトリックスクール |
| 1976年 | | 小学４年からセグの親戚の家で暮らす（６年間） |
| 1978年 | | 中学校入学 |
| 1981年 | | バマコへ帰る。マリ高等技術学校（リセ・テクニック）入学 |
| 1985年 | 9月 | 中国に留学。北京語言大学、東南大学で学ぶ |
| 1990年 | 7月 | 初の日本旅行 |
| 1991年 | 4月 | 来日、大阪の日本語学校に入学。 |
| | 9月 | 京都大学研究室に所属 |
| 1992年 | 4月 | 京都大学大学院入学（工学研究科修士課程） |
| 1999年 | 9月 | 工学研究科博士課程修了 |
| 2000年 | 1月 | 博士号取得 |
| 2001年 | 4月 | 京都精華大学入職、人文学部専任講師に就任 |
| 2002年 | | 日本国籍取得 |
| 2013年 | 4月 | 京都精華大学人文学部長に就任（～2017年３月） |
| 2018年 | 4月 | 京都精華大学長に就任 |

ウスビ・サコ *Oussouby Sacko*

1966年5月26日　マリ共和国・首都バマコ生まれ。81年、マリ高等技術学校（リセ・テクニック）入学。85年、中国に留学し北京語言大学、東南大学で学ぶ。91年4月、大阪の日本語学校に入学。同年9月京都大学研究室に所属。92年、京都大学大学院工学研究科建築学専攻修士課程入学。99年、同博士課程修了。2000年、京都大学より博士号（工学）取得。01年、京都精華大学人文学部専任講師に就任。02年、日本国籍取得。13年、人文学部教授、学部長に就任。18年4月、学長に就任。研究テーマは「居住空間」「京都の町家再生」「コミュニティ再生」「西アフリカの世界文化遺産（都市と建築）の保存・改修」など。社会と建築空間の関係性をさまざまな角度から調査研究を進めている。共著書に『知のリテラシー　文化』（ナカニシヤ出版）、『現代アフリカ文化の今　15の視点から、その現在地を探る』（青幻舎）など。

アフリカ出身
**サコ学長、日本を語る**

2020年7月30日　第1刷発行

著　者　ウスビ・サコ
発行者　佐々木広人
発行所　朝日新聞出版
〒104-8011　東京都中央区築地5-3-2
電話　03-5541-8623（編集）
03-5540-7793（販売）
印刷所　大日本印刷株式会社


Published in Japan by Asahi Shimbun Publications Inc.
ISBN 978-4-02-331880-9
定価はカバーに表示してあります。